SEVEN AND A HALF LESSONS
ABOUT THE BRAIN

Lisa Feldman Barrett, Ph.D.

リサ・フェルドマン・バレット
高橋 洋 訳

バレット博士の脳科学教室 7 1/2章

紀伊國屋書店

バレット博士の脳科学教室 7½章

Lisa Feldman Barrett, Ph.D.
SEVEN AND A HALF LESSONS ABOUT THE BRAIN

Japanese translation rights arranged with Lisa Feldman Barrett
through Brockman Inc., New York.

きわめて寛大に、そして忍耐強く、
わたしに神経科学の技能を授けてくれた、
バーバラ・フィンレイと多くの同僚たちへ

著者より

わたしは好奇心を刺激する楽しい本を書きたかったので、本書をくだけた文章で短くまとめました。ですからこの本は、脳についての基礎知識を網羅した入門書《チュートリアル》ではありません。脳にまつわる注目すべき研究成果をもとに構成し、人間の本性について思考をめぐらせています。頭から順番に読むことを推奨しますが、どこから読んでもけっこうです。

大学教授の務めとして、わたしが書く本や論文には、実験の手順や参照した文献などの学術情報をなるべく盛り込むようにしていますが、この小さな本においては、sevenandahalflessons.com に掲載しました。

また巻末には、いくつかの補足説明を加えました。文中で触れた個別の話題をやや深く掘り下げて解説したもので、科学者間で現在も議論されている内容や、注目すべき科学者の見解などを紹介しています。

また、なぜ8つではなく7と½のレッスンとしたのかというと、「レッスン½　脳は考えるためにあるのではない」と題した最初の章は、脳の進化を扱ってはいるものの、長い長い進化の歴史の序幕を語っているにすぎないからです。とはいえ、本書全体を理解するうえで鍵を握る章です。

ある神経科学者が脳に魅了されていること、そして両耳のあいだにある1・4キログラムくらいの塊《かたまり》がいかにあなたを人間たらしめているかを知って、楽しんでもらえると嬉しいです。本書は、人間の本性のありかたを追求する本ではありませんが、人間たる自分は何者で、どうあるべきかについての思考へと誘《いざな》ってくれるはずです。

Lesson ½

脳は考えるためにあるのではない

太古の時代、地球は脳のない生物に支配されていた。これは政治的な主張ではない。生物学的な事実である。

そのひとつに、ナメクジウオと呼ばれる生物がいた。ひと目見ただけでは、つまり身体の両側にある鰓裂《さいれつ》に気づかなければ、小さなミミズのように見えただろう。およそ5億5000万年前、ナメクジウオは海に生息し、シンプルな暮らしを送っていた。[1] きわめて初歩的な運動系を備えていたおかげで水中を移動することができ、ごく単純な摂食手段を持っていた。草の葉のように海底に身を固定し、たまたま口のなかに漂ってきた小さな生物なら何でも食べた。だがナメクジウオには、味やにおいは無縁だった。わたしたちと違って、感覚器官を備えていなかったからだ。目はなく、光の変化を検知する細胞をいくつか持っていたにすぎない。聴覚もなかった。そのつつましやかな神経系は、脳とはとても呼べない小さな細胞のかたまりを含んでいた。[2] あえていえば、ナメクジウオは「棒についた胃」とでも呼べる生物だったのである。

ナメクジウオは人間の遠い親戚だが、今でも生きている。現代のナメクジウオは、かつて同じ海をさまよっていた人類の祖先の小さな生物によく似ている。[3]

先史時代の海を漂う長さ5センチメートルほどの小さなミミズのような生物を想像し、そこから人類への進化の道のりを思い描いてみてほしい。なかなか想像しにくいはずだ。人間にはあって、太古のナメクジウオにないものはたくさんある。数百本の骨、種々の内臓、手足、鼻、チャーミングな微笑、そしてもちろん脳だ。ナメクジウオに脳は無用である。感覚に関わる細胞が運動に関わる細胞に直接つながっているため、ほとんど何の処理もせずに大洋の世界に反応していたのだ。それに対し、複雑で強力な脳を備えるわたしたちは、その働きを通じて思考、情動、記憶、夢などのさまざまな心的事象を経験する。そしてこの内面の生活を介して、人間を特有の意義ある存在にしている、多くのものごとが形成される。

では、人間の脳はなぜ進化したのか？[4] ぱっと思いつく答えは「考えるため」だ。脳はある種の上向きの発展を遂げてきたと一般に考えられている。つまり下等動物から高等動物を経て、考える能力を持つ、もっとも洗練された人類の脳へ最終的に進化したとされている。とどのつまり、思考能力とは人間の持つスーパーパワーではないのか？

ナメクジウオは私たちの直接の祖先ではないが、現代のナメクジウオに非常によく似ていたと考えられる共通の祖先を人間と共有している。

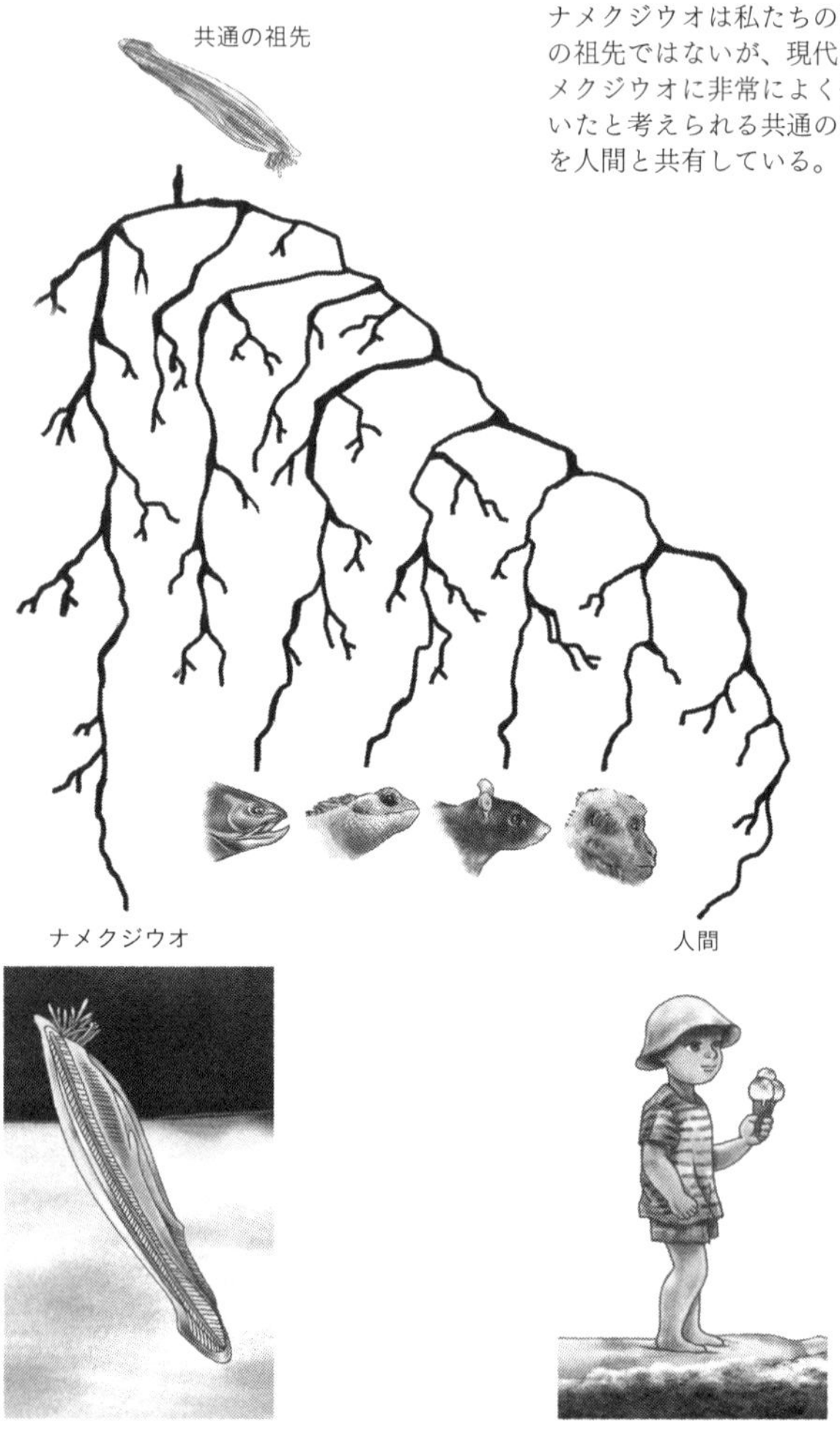

このいかにも正しそうな答えは、実は間違いである。それどころか、人間の脳が考えるために進化してきたとする見かたは、人間の本性をめぐる数々の根深い誤解の源になってきた。これまで大切にされてきたこの信念をひとたび捨て去れば、脳の働きと、それが担うもっとも重要な仕事を理解すること、そして最終的には、わたしたちがいかなる生物なのかを理解することに向けて、第一歩を踏み出せるだろう。

❦ ❦ ❦

小さなナメクジウオをはじめとする単純な生物たちが海底で静かにエサを食べていた5億年ほど前、地球はカンブリア紀と呼ばれる時代に突入した。このカンブリア紀に、進化の舞台で非常に重要なできごとが起こった。狩り《ハンティング》の誕生だ。どこかで何かの生物が、他の生物の存在を感知して、意図的に食べる能力を獲得したのである。それ以前にも、生物が他の生物をたまたま丸呑みにすることはあったが、それが意図的なものになったのだ。当時の狩りに脳は必要ではなかったとしても、その進化に向けて大きく前進したことは間違いない。

カンブリア紀における捕食者の出現は、地球を競争的で危険な場所に変えた。捕食者も獲物も、周囲の世界をより感知できる能力を進化させていった。こうして、高度な感覚系が発達しはじめたのだ。明暗の区別ならナメクジウオにもできたが、新しい生物は実際に見る能力を獲得した。また、ナメクジウオは単純な皮膚感覚しか持っていなかったが、新しい生物は水中での身体の動きに対する十全な感覚と、振動によって物体を検知する、高度な触覚を進化させた。サメは今でも、獲物を探知するためにその種の触覚を用いている。

さらに高度な感覚が進化すると、生存をめぐるもっとも重要な問いは、「遠くを漂うあのかたまりは、食べられるものなのか？　それともこのわたしを食べようとしているのか？」になった。こうして、周囲の状況を的確に感知できるようになった生物は、生存し、繁栄する可能性が高まった。ナメクジウオは環境を支配していたのかもしれないが、自分が環境を持つとは感じていなかった。だが、新しい生物にはそれができたのだ。

さらには、狩る側も狩られる側も別の新たな能力の恩恵を受けるようになる。それは、高度な動きだ。感覚神経と運動神経が一体化していたナメクジウオは、ごく初歩的な運動しかできなかった。ありつけるエサの量が先細りになると、体をくねらせながら適当な方向に泳いでいき、別の場所に腰を落ち着けたのだ。また、いかなるものでも物影が近づいてくると一目散に逃げ出した。しかし新たに到来した狩りの世界では、捕食者も獲物も、より速く巧みに動ける、効率的な運動系を進化させていった。こうして新しい生物は、環境に応じた方法で、意図してエサに向かって素早く動いたりもぐったり、あるいは脅威から逃れたりできるようになったのである。

ひとたび生物が遠くの物体を感知し、的確に動けるようになると、進化はそれらの課題を効率よく達成できる個体を選好しはじめた。エサを追いかけようにもゆっくりとしか動けなければ、他の生物に先を越される。また、実際には来るはずのない脅威から逃れようとエネルギーを無駄使いしていては、必要なときに資源が利用できなくなる。エネルギー効率は生存に不可欠の要件なのだ。

そう、エネルギー効率は予算にたとえられる。家計や財政予算の管理では、稼いだり使ったりした金額を追跡する。同じように「身体予算」の管理では、調達したり失ったりした、水分、塩分、糖分《グルコース》などの資源の量を追跡する。泳ぐ、走るなど、資源を費やす活動をするごとに身体予算の口座から預金が引き出され、また、食べる、眠るなど、資源を補給する活動をすれば預金が増えるのだ。これはひどく単純化した説明だが、身体の運用には生物学的な資源が必要とされるという重要な事実をうまく表現している。あなたがとった行動、あるいはとらなかった行動はすべて、いつ資源を

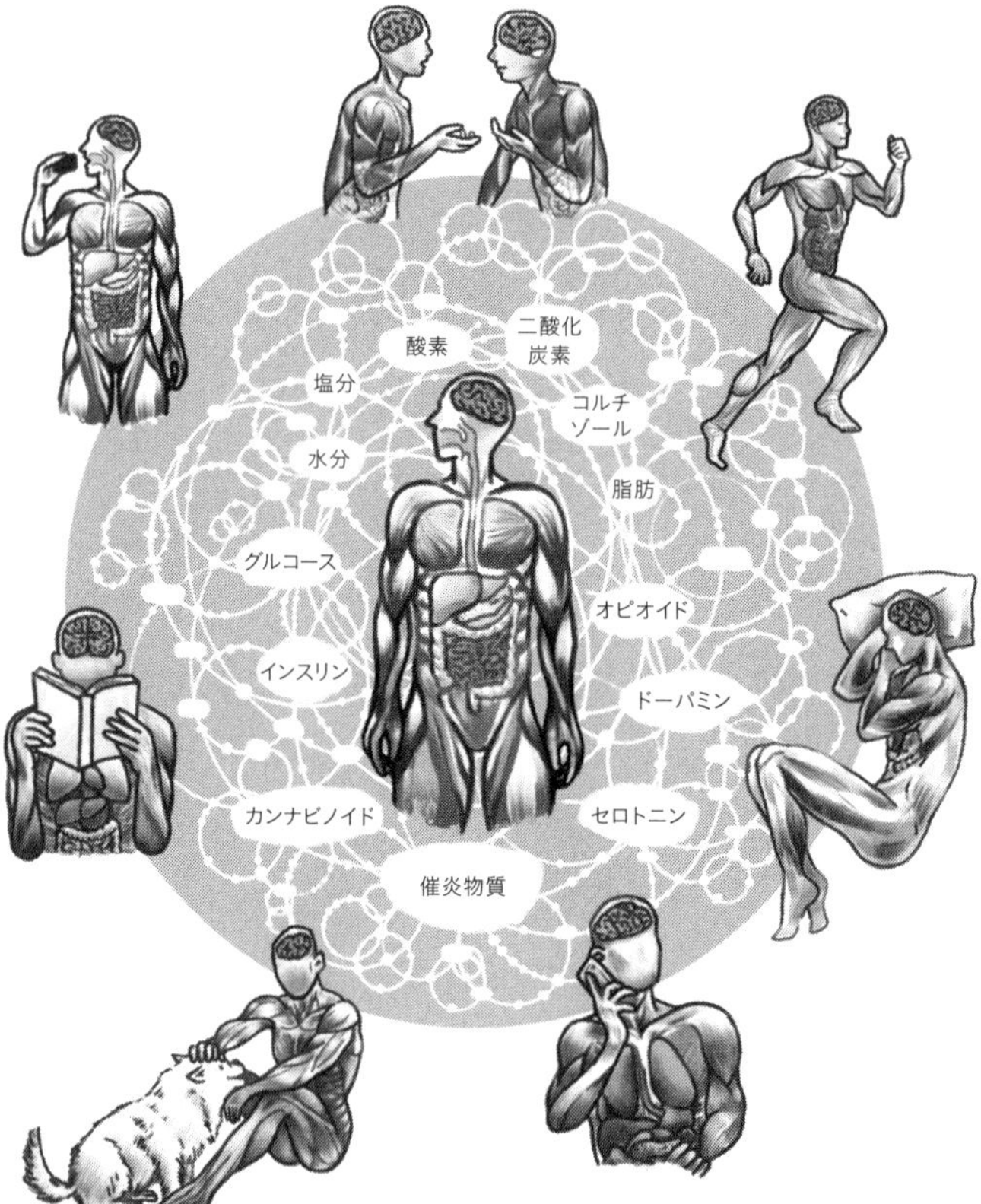

脳は水分、塩分、グルコースや、他の多くの体内の生物学的資源を調節する身体予算管理を実行している。科学者は、このプロセスをアロスタシスと呼ぶ。

使い、いつ節約するのかを脳が推測してなされる経済的な選択なのである。

　家計の管理において大事なポイントは、緊急事態への対応である。あなたも経験上、お金がいつ必要になりそうかを予測し、イレギュラーな出費に備えているはずだ。同じことは身体予算管理にも当てはまる。カンブリア紀の小さな生き物には、腹ペコの捕食者に出くわしたときのために、エネルギー効率にすぐれた生存手段が必要だった。腹ペコの捕食者が動き出したらどうするか。じっとしているか、隠れるべきか？　それとも捕食者からの攻撃を予期し、逃げ出せるよう身体の準備を整えておくべきか？

　身体予算管理においては、予測は反応より有利だ。捕食者の攻撃に備えてすぐ動けるよう準備している生物は、捕食者の攻撃をただ待っている生物より、明日も生きている可能性が高い。また、状況を的確に予測できる生物や、致命的でないミスを犯したときにそこから学習できる生物は、うまく生き残っていけるだろう。それに対し、ちょくちょく予測を外したり、脅威を見落としたり、ありえない脅威にいちいち反応したりする生物はあまり生き残れない。周囲を探索しようとせず、エサになかなかありつけず、繁殖に至らない可能性が高いからだ。

　身体予算管理のことを、科学者は「アロスタシス」と呼ぶ。[5] この言葉は、身体のニーズが生じる前にそれを自動的に予測し、満たすための準備を整えることを意味する。カンブリア紀の生物が、感じたり、動いたりすることで一日中資源を使っていたときには、アロスタシスによってさまざまな身体システムのバランスが保たれていた。資源の引き出しは、適切なタイミングで補充される限り、問題にはならない。

　ではいかにして、動物は未来の身体のニーズを予測しているのか？　そのもっとも信頼すべき情報源は、過去の実績、つまり以前に同じような状況のもとでとった行動の結果である。捕食者からうまく逃れられた、あるいはおいしい獲物をとらえたなど、何らかの恩恵をもたらした行動は繰り返される可能性が高い。人間を含めたあらゆる動物が、過去の経験を想起して、行動を起こすために身体の準備を整える。予測はとても有用な能力なので、単細胞生物でさえ予測に基づいて行動を計画する。ただ、それがいかになされているのかは、科学者たちの努力にもかかわらず現在でもわかっていない。

　ここであなたは、海流に乗って漂うカンブリア紀の小さな生物だとしよう。前方においしそうな物体が漂っている。そんな状況に置かれたとき、あなたならどうするか。動こうと思えば動けるが、動くべきなのか？　そもそも、動けば身体予算からエネルギーが引き出される。経済的な効率性という観点からいえば、動きはその努力に見あったものでなければならない。[6] そこで必要になるのが、これからとろうとしている行動に向けて、過去の経験に基づいて身体を準備することを可能にする、〈予測〉である〔脳の無意識的な行動を準備する機能を指す箇所を、〈予測〉と山カッコつきで記す〕。ひとつ明確にしておくと、ここでいう〈予測〉とは、思考能力に基づいて良い点と悪い点を比較する、意識的な判断を意味するのではない。ここでいいたいのは、〈予測〉し、それに基づいて一連の動作を起こすにあたっては、その生物の内部で何かが起こらなければならない、そしてその何かとは、何らかの価値判断を反映するものである、ということだ。

　時代が進むにつれ、動物たちは、より大きくかつ複雑になり、体内の構造が高度化していった。[7] 棒についた胃のようなナメクジウオは、調節を必要とする身体システムをほとんど何も備えていなかった。水中で身体を安定させ、原始的な内臓で食物を消化するには、少数の細胞で十分だったのだ。しかし新しい動物たちは、血液を送り出す心臓を備えた循環器系や、酸素を取り込んで二酸化炭素を排出する呼吸器系、あるいは感染症と闘う適応免疫系などの複雑な体内の系《システム》を発達させていった。こうして複雑化したシステムは、身体予算管理をいっそう困難にし、たったひとつの預金口座というより大企業が抱える経理部のようなものになった。複雑化した身体は、水分、血液、塩分、酸素、グルコース、コルチゾール、性ホルモンをはじめとする数十の資源を調節しつつ効率的に身体を運用するために、少数の細胞以上の司令塔的な存在を必要とするようになった。その司令塔がつまり、脳だ。

　動物の身体が大きくなり、それを維持するシステムが増えていくと、身体予算管理を担う少数の細胞は脳へと進化し、複雑さをどんどん増していった。それから数億年が経過すると、地球はあらゆる種類の複雑な脳で満たされる。それには人間の脳も含まれ、この脳は600を超える筋肉の動きを管理し、数十種類のホルモンのバランスをとり、1日に2000ガロン〔約7600リットル〕もの血液を循環させ、数十億の脳細胞のエネルギーを調節し、食物を消化し、老廃物を排泄し、病気と闘い、72年〔世界の平均寿命〕ものあいだ取り込んだり排出したりしながら休まず働く。人間の身体予算は巨大な多国籍企業の数千もの会計項目のようなもので、脳はそれを管理する仕事をこなしている。しかも人間の身体予算の管理は、他者の身体が備える脳という存在によってさらに対処が困難になった、恐ろしく複雑な世界のなかでうまくやっていく必要があるのだ。

　もとの問いに戻ろう。人間の脳はなぜ進化したのか？　進化には目的がないため、この問いには答えようがない。進化に「なぜ」はない。それでも、「脳のもっとも重要な仕事は何か？」という問いには答えられる。それは、理性の行使ではない。情動、想像力、創造力、共感の行使でもない。脳のもっとも重要な仕事は、エネルギーの需要が生じる前に〈予測〉しておくことで、身体をコントロール――アロスタシスを管理――することにある。それによって、必要な動作を効率よく行ない、ひいては生き延びることができるのだ。あなたの脳は、食物、住居、愛情、身体の保護などの形態で十分な恩恵が得られることを期待しながら、つねにエネルギーを投資している。だからこそあなたは、自然が課すもっとも重要な役割、そう、次世代に自己の遺伝子を受け渡すという仕事を果たせるのである。

要するに、脳のもっとも重要な仕事は考えることではなく、恐ろしく複雑化した、もとは小さな生物の身体を運用することにある。

もちろんわれわれの脳は、考える、感じる、想像する、さらには本書を読んで理解するなどの無数の経験を生み出している。しかしそれらの心的能力はすべて、健康な生活を営むために身体予算を管理するという、重要な任務を遂行した結果によって得られたものである。記憶から幻覚、そして陶酔から恥の感覚に至るまで、脳が生み出すものは何であれ、この任務の成果の一部としてとらえられる。たとえば夜遅くまで働いて急ぎの仕事を仕上げようとコーヒーを飲むとき、脳は短期的な目的のために身体予算を調整している。つまり、脳は明日の利益のためにたった今エネルギーを引き出しているのだ。また、数学や大工仕事などのむずかしい技術を何年もかけて学ぶとき、脳は長期的な目的のために身体予算を管理しているといえる。その場合、長期にわたる継続的な投資が必要とされるが、この投資は、最終的には自己の生存と繁栄に役立つ。

誰もが、あらゆる思考、幸福や怒りや畏怖の感情、抱擁、他人に施す親切、受ける侮辱を、つねに代謝予算に対する預金や引き出しとして経験しているわけではない。だがそれは、意識の埒外《らちがい》で確実に起こっている。この見かたは、脳の働きや自己の健康を維持するにはどうすればよいのか、そして充実した人生を全うするためには何が必要なのかを理解するにあたって、鍵を握るであろう。

このささやかな進化のストーリーは、わたしたちの脳や、周囲の人々の脳に関するもっと長い物語の序章をなす。本書ではこのあとの7つのレッスンを通じて、わたしたちの頭蓋の内部で起こっている現象に関する理解を刷新してきた、神経科学、心理学、人類学における注目すべき科学的発見を確認していく。そしてわたしたちはこの過程を通じて、驚嘆すべき脳に満ちた動物界で、何が人間の脳をかくも卓越したものにしているのかを学んでいく。また、乳児の脳が成人の脳へと徐々に変化していく様子を学ぶ。さらには人間が持つたったひとつの脳の構造から、いかにしてさまざまな種類の心が生まれてくるのかを知る。また、現実《リアリティ》についての問いにも挑む。習慣、規則、文明を生み出す力を人間に与えてくれたものは何か？　そこに至るまでに、わたしたちは〈身体予算〉と〈予測〉についてあらためて考察し、行動や経験を構築するにあたってこれらの能力が果たす中心的な役割について検討する。さらには、あなたの脳と身体と、そして他者の身体に宿る脳とのあいだには強い結びつきがあることを見ていく。本書を読み終える頃、思考する脳は、考えるだけではなく、はるかに多くの仕事をしていることをあなたが知り、喜びを感じてもらえれば幸いである。

Lesson 1

あなたの脳は（3つではなく）ひとつだ

今から2000年ほど前の古代ギリシャで、プラトンという名の哲学者がある戦争について語った。ただし都市や国家間の戦争ではなく、人間の心のなかで生じる戦争についてである。彼によれば、人間の心のなかでは行動をコントロールするための3つの力が、絶えず闘争を繰り広げている。[1] ひとつ目の力は、飢えや性衝動などの基本的な生存本能からなる。ふたつ目の力は喜び、怒り、恐れなどの情動で構成される。直観と情動は、さまざまな方向へと、そしておそらくは誤った方向へと行動を導く動物のようなものだ。この無秩序に対抗するために、人間には3つ目の力である、理性的思考が備わっている。理性的思考は、この2頭の野獣を手なずけ、より文明的で正しい道へとあなたを導いてくれるのである。

内心の葛藤を描くプラトンの説得力あふれる道徳講話は、西洋文明のもとでもっとも重宝されてきた語り《ナラティブ》のひとつだ。心のなかで繰り広げられる欲望と理性の綱引きを一度も経験したことがない人などいるだろうか？

ならば、プラトンが描いた闘争をのちの科学者が脳に投影し、人間の脳の進化を説明しようとしてきたことはさほど不思議ではない。[2] 彼らの主張によれば、わたしたちはかつて爬《は》虫《ちゅう》類であった。3億年前、爬虫類の脳は食物摂取、闘争、交尾などの基本的な衝動のために配線されていた。1億年ほど前になると、脳は情動を司る新たな領域を進化させ、わたしたちは哺乳類になった。そして最後に、脳は内なる野獣を統制するために理性を司る領域を進化させる。かくしてわれわれは人類となり、それ以来、論理的に暮らすようになった。

　この進化のストーリーによれば、人間は生存を司る脳、感情を司る脳、思考を司る脳という3層からなる脳を持つようになった。そのような配置の脳は「三位一体脳」と呼ばれている。もっとも深い層をなし、古代の爬虫類から受け継いだとされる「爬虫類脳」は、生存本能を宿すと考えられている。「大脳辺縁系《だいのうへんえんけい》」と呼ばれる中間層は、先史時代の哺乳類から受け継いだ太古の部位を含むとされる。もっとも外側に位置する層、すなわち大脳皮質の一部は人間独自のもので、理性的思考の源泉と見なされている。[3] なお、この領域は新皮質と呼ばれる。新皮質の一部をなす前頭前《ぜんとうぜん》皮質《ひしつ》は、爬虫類脳と情動脳を統制し、動物的で非合理的な自己を抑制するとされている。三位一体脳の擁護者は、人間には非常に大きな大脳皮質が備わっていると考え、それを人間が

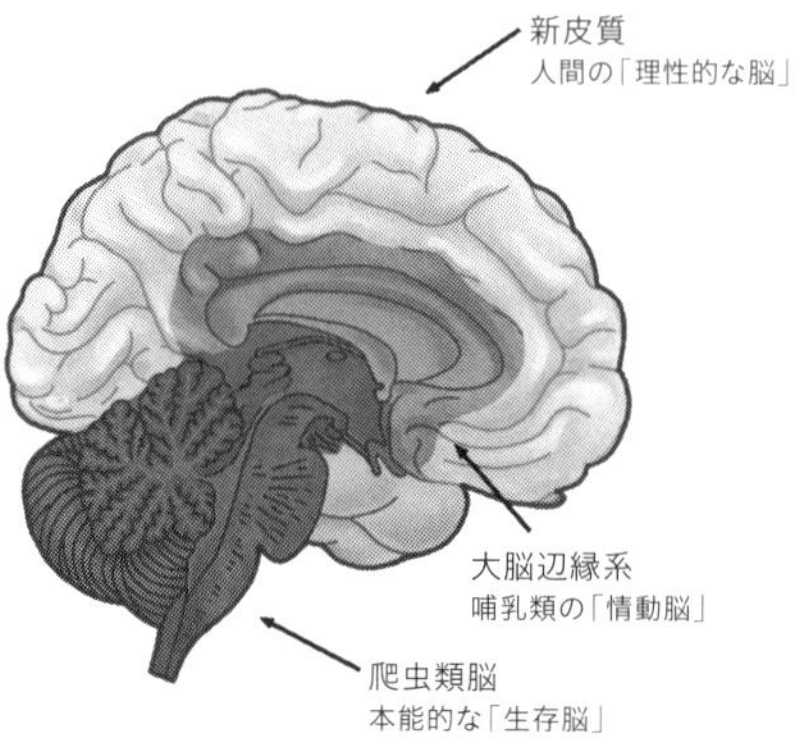

三位一体脳説

卓越した理性的存在であることの証拠と見なす。

　人間の脳の進化に関して、ふたつの異なった見かたがあることに気づいただろうか。レッスン½では、脳は次第に複雑化する感覚系や運動系を進化させるとともに、同様に複雑化していった身体のエネルギー資源の予算管理を行なうようになったと述べた。しかし三位一体脳のストーリーは、理性が動物的な衝動や情動を抑えられるよう、脳が層状に進化したと主張する。このふたつの科学的見解をどうすれば調停できるのか？

　幸いにも、両見解を調停する必要などない。なぜなら一方は誤りだからだ。三位一体脳説は、科学界でもっとも成功して拡まった間違いのひとつなのだ。[4] たしかに説得力のあるストーリーであり、われわれの日常生活でも実感しやすい。たとえばおいしそうなチョコレートケーキを見て、食べたいのはやまやまだが、朝食をとったばかりなのでやめておいたとする。その場合あなたは、衝動的な爬虫類脳と情動的な大脳辺縁系がチョコレートケーキを食べるよう誘導したが、理性的な新皮質がそれに抗《あらが》って、前二者の働きを抑えたという構図でとらえたくなるだろう。

だが、人間の脳はそのようなありかたでは機能しない。愚かな行動は、制御のきかない内なる太古の野獣によって引き起こされるのではない。また、品行方正な行動は理性が働いた結果などではない。そもそも理性と情動は競合などしていない。それどころか、脳内で棲《す》み分けられてもいないのである。

3層からなる脳という考えは、何人かの科学者が数年にわたって提起し、20世紀半ば頃にポール・マクリーンという名の医師が確立した。マクリーンは、プラトンの描く闘争のように構造化された脳を思い描き、当時利用可能だった最高の技術、つまり外観検査によってその仮説を検証した。要するに、死んだ爬虫類や人間を含めた哺乳類の脳を顕微鏡で覗き、それらの類似点や相違点を視覚のみに頼って確認したのだ。彼は、人間の脳に他の哺乳類にはない一連の新たな領域が備わっていることを発見して、それを新皮質と呼び、哺乳類の脳に爬虫類の脳にはない領域が備わっているのを確認し、それを大脳辺縁系と呼んだ。かくして人間の起源に関するストーリーが誕生したわけだ。

マクリーンが提起したこの三位一体脳説は、科学界の特定の領域で注目されるところとなった。彼のアイデアは単純かつエレガントで、人間の認知の進化についてのチャールズ・ダーウィンの考えかたにも合致しているように思えた。ダーウィンは著書『人間の由来』において、人間の心は身体とともに進化してきたので、人間は理性的思考が手なずけている内なる太古の野獣を宿すと主張している。

天文学者のカール・セーガンは、ピュリッツァー賞に輝いた1977年の著書『エデンの恐竜——知能の源流をたずねて』で、この三位一体脳という見立てを広く一般読者に普及させた。「爬虫類脳」や「大脳辺縁系」という言葉は、今日においてもポピュラーサイエンスの書物や、新聞や雑誌の記事によく登場する。たとえば本書執筆中の今も、「顧客の爬虫類脳に刺激を与えて売上を伸ばす方法」について解説する記事が掲載された『ハーバード・ビジネス・レビュー』誌の特集号を近所のスーパーマーケットで見かけた。そしてその傍らには、いわゆる「情動脳」を構成する脳領域を一覧した『ナショナル・ジオグラフィック』誌の特集号が並んでいた。

あまり知られていないことだが、『エデンの恐竜』は、脳の進化の専門家たちが三位一体脳説の誤りを示す確実な証拠、すなわちニューロンと呼ばれる脳細胞の分子構成に関する目に見えない証拠をすでに手にしていた時点で刊行された。そして

1990年代には、3層からなる脳という考えは専門家によって完全に否定された。彼らが高度な道具を用いてニューロンを分析した結果、その説が擁護し得ないものだと判明したのだ。

マクリーンの時代、科学者たちは、染料を注入してサラミのごとく脳を薄切りにし、顕微鏡を覗いて染料が浸みた切片を観察することで、ある動物の脳と別の動物の脳を比べていた。脳の進化を研究する神経科学者は現在でもこの方法を用いているが、ニューロンの内部を覗いて遺伝子を調査するための最新技術も活用している。彼らは、ふたつの動物種のニューロンがまったく異なっているように見えても、同じ遺伝子を含む場合があることを発見している。この発見は、それらのニューロンが同一の遺伝的起源を持つことを示唆する。たとえば人間のニューロンとラットのニューロンに同じ遺伝子が見つかれば、その遺伝子を持つ類似のニューロンが、人類とラットの最終共通祖先に備わっていた可能性が非常に高い[5]。

科学者たちはこの手段を用いて、進化が地層のようにさまざまな層を積み上げて脳の構造を形成してきたのではないことを知った。しかし、人間の脳はラットの脳とは明らかに違う。では、層を積み上げていったのではないのなら、人間の脳はいかにして他の動物の脳と異なる進化を遂げたのだろうか？

脳は、進化の過程を通じて大きくなるにつれ、再組織化されていったのだ。[6]
例を用いて説明しよう。わたしたちの脳は、身体の動きを感知し、触覚の形成を導く4つのニューロン群、すなわち脳領域を持つ。これらの脳領域は、まとめて一次体性感覚皮質と呼ばれる。だがラットの脳では、同じ課題を実行する一次体性感覚皮質は、たったひとつの脳領域から構成されている。マクリーンのように人間とラットの脳を目で観察しただけでは、ラットは人間の脳には備わる3つの体性感覚領域を備えていないと見なす結果になる。だから、この3つの領域は人間において新たに進化したもので、人間に特有の機能を果たしていると結論づけてしまうのだ。

しかし科学者の発見によれば、人間が持つ4つの脳領域とラットが持つたったひとつの脳領域は、同じ遺伝子を多数含んでいる。この科学的な情報は、進化をめぐってあることを示唆する。つまりおよそ6600万年前に存在した、人間と齧歯《げっし》類の最終共通祖先は、今日の人間が持つ4つの脳領域が果たしている機能のいくつかを実行する、たったひとつの体性感覚領域を持っていたに違いない。そしてわれわれの祖先がより大きな身体と脳を進化させるにつれ、このたったひとつの領域は拡大して細分化され、その役割が再分配された可能性が高い。かくして分離・統合された脳領域の構成によって、大きくなり複雑化した身体をコントロールできる、複雑な脳が生み出されたのである。[7]

異なる動物種の脳を比較して共通点を見出す作業は簡単なものではない。なぜなら進化の経路は曲がりくねっており、見通しが悪いからだ。見かけはあてにならない。見た目には異なっている部位でも、遺伝的には類似していることがありうる。また逆に、遺伝的に異なっていても見た目には似ている部位もある。さらにいえば、二種の動物の脳に同一の遺伝子が見つかっても、その遺伝子は動物によって異なる機能を果たしていることがある。

分子遺伝学の最近の研究のおかげで、爬虫類や人間以外の哺乳類が、人間が持つものと同種のニューロンを備えることが判明している。[8] それには、人間における名高い新皮質を形成するものと同種のニューロンも含まれる。人間

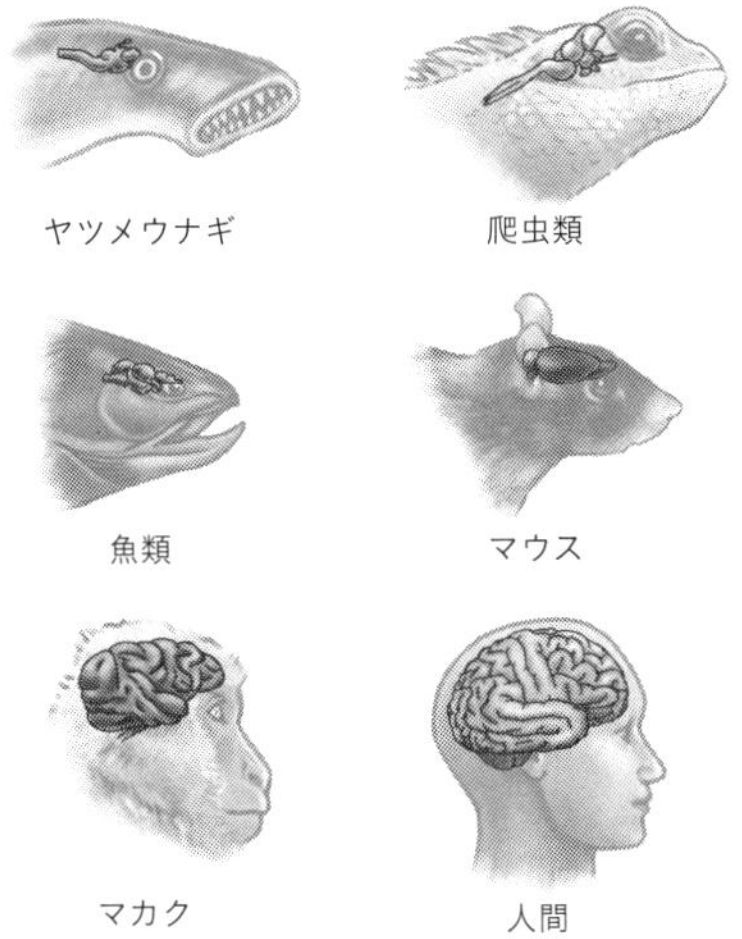

多くの動物の脳は、見た目にはそれぞれ大きく異なっている。

の脳は、情動や理性を司るまったく新たな部位が爬虫類脳から進化することで生じたのではない。それよりもっと興味深いことが起こったのだ。

最近の研究成果によれば、すべての哺乳類の脳はたったひとつの設計に基づいて構築されている。また、爬虫類やその他の脊椎動物の脳も同じ設計に基づいている可能性が高い。多くの神経科学者を含めたいていの人々は、この発見をよく知らない。しかもそれについて知っている人々も、その意義をようやく理解しはじめたにすぎない。

この共通の脳の設計は、胎児がニューロンの生成を開始する受胎後まもなく実行に移される。[9] 哺乳類の脳を構成するニューロンは、驚くほど決まりきった順序で生み出される。この順序は、マウス、ラット、イヌ、ネコ、ウマ、アリクイ、ヒトなど、これまで研究されてきたあらゆる哺乳動物に当てはまる。また遺伝的な証拠によれば、爬虫類、鳥類、魚類の一部にも当てはまると考えられる。そう、最先端の科学の知識に基づいていえば、あなたは吸血ヤツメウナギと同じ脳の設計を持っているのだ。

かくも多くの脊椎動物の脳が同じ順序で発達するのなら、なぜこんなに外見が異なる動物になっていったのか？　なぜなら、構築のプロセスは段階的なもので、各段階は動物種によってその期間が長かったり短かったりするからだ。つまり生物学的な構成要素は同じでも、発達のタイミングが異なるのである。たとえば大脳皮質のニューロンが生成される段階は、人間に比べて齧歯類では短く、爬虫類でははるかに短い。だから人間の大脳皮質は大きいのに対し、マウスのものは小さく、イグアナのものは非常に小さい（あるいは存在しないという説もある）。だが爬虫類の胎児に魔法をかけて、この期間を人間と同程度まで引き延ばせたら、人間のものに類似した大脳皮質が発達するだろう（ただし人間のものと同様には機能しないはずだ。脳に関しても、大きさだけがものをいうのではない）。

　したがって、人間の脳に新たにつけ加えられた部位があるわけではない。[10] あなたの脳のニューロンは他の哺乳類、そしておそらくは他の脊椎動物にも見出すことができる。この発見は、三位一体脳説の進化的根拠を覆《くつがえ》す。

　では、人間をもっとも理性的な動物にしている、並外れて大きな大脳皮質についてはどう考えればよいのか？　のちの章で見ていくように、人間の大脳皮質が進化のプロセスを経て拡大してきたこと、また、それによって人間が他の動物に比べて特定のものごとをうまくやれるようになったことは事実だ。しかしここで問われるべきは、「人間の大脳皮質は、他の脳領域との比率において大きくなったのか？」で、つまり科学的に意味のある問いは、「人間の大脳皮質は、脳全体の大きさに比べて例外的に大きいのか？」というものである。

なぜこの問いのほうが重要なのかを理解するために、台所にたとえて考えてみよう。ごく一般的な家庭の台所を見ても、さまざまな種類がある。大きなものもあれば小さなものもある。あなたは、とある家の巨大な台所に入り「なんと！　この家の住人は料理が大好きに違いない」と思ったとする。これは妥当な結論だろうか？　台所の絶対的な大きさのみをとらえてそう思ったのなら妥当ではない。というのも、家全体の大きさを考慮に入れる必要があるからだ。大きな家に大きな台所があるのは普通のことであり、その台所は標準的な住宅設計の拡大バージョンと見なせるだろう。だが小さな家に巨大な台所があったなら、その住人がグルメな料理人だったなど、何か特別な理由があるはずだ。

脳にも同じ原則が当てはまる。大きな脳にそれと釣りあう大きな大脳皮質を備えているのは特別なことではない。人間はまさにそのような脳を備えているが、あらゆる哺乳類が身体のサイズの割に大きな脳にそれと釣りあう大きな皮質を備えている。つまり人間の皮質は、サルやチンパンジーや多くの肉食動物の小さな脳に見出される小さな皮質の拡大バージョンと、また、ゾウやクジラなどの大きな脳に見出される大きな皮質の縮小バージョンと見なすことができる。サルの脳が人間の脳と同じ大きさまで成長したら、大脳皮質の大きさは人間のものと同じになるだろう。ゾウの大脳皮質は人間のものよりはるかに大きいが、人間の脳がゾウの脳と同じ大きさになれば大脳皮質もそれと同じ大きさになるはずだ。

したがって人間の大脳皮質の大きさは進化的に新しいものではなく、独自の説明を必要としない。また大脳皮質の大きさは、その動物がいかに理性的であるかを示すわけではない（もしそうなら、もっとも偉大な哲学者はホートン、ババール、ダンボ（いずれも絵本やアニメに登場するゾウのキャラクター）だったはずだ）。欧米の科学者や知識人は、大きくて理性的な皮質というアイデアを紡ぎ出し、長らく維持してきた。だがほんとうのストーリーを語るなら、進化の過程で何らかの遺伝子が変異して、脳の発達の特定の段階が長くなったり短くなったりしたために相対的に大きな、もしくは小さな部位を持つ脳が誕生したのだ。

よって人間は、内なる爬虫類や野獣のごとき情動脳を宿しているのではない。情動に特化した大脳辺縁系などというものはない[11]。新皮質は、その名が示すような新しい部位ではない。他の多くの脊椎動物も、鍵を握る発達段階が十分に長く続けば、大脳皮質に組織化されていく、新皮質と何ら変わらないニューロンを発達させる。人間の新皮質、大脳皮質、前頭前皮質が理性の源であるという主張や、前頭葉がいわゆる情動脳を調節して非合理的な行動に走らないよう抑えているという主張を読んだり聞いたりしたときには、その種の主張はすべて、時代遅れか嘆かわしいほどデタラメかのいずれかだということを思い出そう。三位一体脳説と、本能と情動と理性の壮絶な闘いというストーリーは現代の神話なのだ。[12]

だからといって、人間の大きな脳には利点がないと主張したいのではない（どんな利点があるのかについてはのちの章で検討する）。摩天楼を築き上げ、フライドポテトを考案できる動物は人間だけなのは確かだとしても、これから見ていくように、高度な能力は大きな脳にのみ由来するのではない。さらにいえば、人間の脳を何らかのありかたで凌駕する能力を進化させた動物もいる。人間は、空を飛ぶための翼を持っていない。自重の50倍の重さの物体を持ち上げることはできない。切断された四肢が生え変わることはない。このような能力は、人間にとっては超能力だが、劣っているはずの動物にとってはありきたりのものだ。細菌でさえ、宇宙空間や人間の腸のような過酷な例外的環境のもとで生き残るという課題では、わたしたちを凌駕する。

自然選択は、人間の進化を目標にしてきたのではない。われわれは、特定の環境のもとで生き残って子孫を残すことを可能にする一定の適応を遂げてきた興味深い動物のひとつにすぎない。[13]他の動物は人間に劣るのではなく、生息環境に独自のありかたで効率的に適応している。人間の脳はラットや爬虫類より高度な進化を遂げたのではなく、異なる様態で進化したのにすぎない。

それが正しいのなら、なぜ三位一体脳などという神話が現在でも広く流布しているのか？　なぜ大学の教科書には人間の脳に大脳辺縁系が描かれ、大脳皮質がそれを調節していると記述されているのか？　脳の専門家が何十年も前に否定しているにもかかわらず、高額のビジネストレーニング講座に参加したＣＥＯたちが、自分の爬虫類脳を手なずけろと教わっているのはいったいどういうことか？　ひとつの理由は、脳の専門家たちが広く一般人に訴えられる伝達手段を持っていないからだが、主な理由は、三位一体脳説が一部の応援団に支えられているストーリーだからだ。そのストーリーによれば、理性的思考という特別な能力を持つことで、人間は動物的な本性を克服し、今や地球を支配するに至ったのだ。このように三位一体脳説を信じることは、人間自身に「最高の動物」という栄冠を授けることでもある。

〈理性〉対〈本能と情動〉というプラトンが提起した戦争のたとえは、西洋文化において、人間の行動についてのベストな説明として長らく扱われてきた。本能と情動をうまく抑制できれば、行動は合理的で責任あるものになる。合理的に振る舞えなければ行動は不道徳なものになる。合理的に振る舞う能力を欠く人は心を病んでいる。そう考えられてきたのだ。

しかし、そもそも合理的な行動とは何か？　それは情動の影響を受けないことだと一般に考えられている。思考は合理的で、情動は非合理的ととらえるのだ。だが、必ずしもそうとはいえない。危険が差し迫っているときに恐れを感じるなど、情動は合理的にもなりうる。また何か重要な情報が得られると自分にいい聞かせながら何時間もソーシャルメディアを渉猟するなど、思考は非合理的にもなりうる。

おそらく合理性は、脳のもっとも重要な仕事である身体予算管理、すなわち水分、塩分、グルコースなどの、われわれが毎日利用している、体に不可欠の資源の管理という観点からうまく定義できるだろう。この観点からすると、合理性とは資源の消費や蓄積を通じて、直近の環境のもとで繁栄することを意味する。ここで、あなたは身の危険を感じて逃げる準備を整えているところだとしよう。あなたの脳は腎臓の上にある副腎に指令を出して、エネルギーをほとばしらせるホルモン、コルチゾールを体内に大量に送り出す。三位一体脳説の観点からは、大量のコルチゾールの分泌は合理的ではなく本能的な作用と見なされるが、身体予算管理という観点からすれば合理的な作用と見なしうる。なぜなら脳は、自己の生存と子孫を残す可能性という点で、堅実な投資をしているからだ。

何も危険が迫っていないにもかかわらず身体が逃げる準備を整えていたら、その行動は非合理的といえるのだろうか？　その答えは文脈による。たとえばあなたは、いつでも危険な事態が起こりうる戦場に送られた兵士だったとしよう。そんなあなたの脳がつねに危険を予測しておくことは妥当である。もちろん不正確な予測をして、危険な状況にはないにもかかわらずコルチゾールが大量に分泌されることもあるだろう。のちになって役立つはずの資源を浪費するので、この誤報はある意味で非合理的と見なせるが、身体予算管理の観点からすれば、この誤報は戦場では合理的と見なしうる。その瞬間にグルコースをはじめとする資源をわずかに失ったとしても、長期的にはそれによって生き残る可能性が高まるからだ。

やがてあなたは、戦場から安全な母国に戻ったとする。それでもあなたの脳が、心的外傷後ストレス障害（PTSD）に苦しむ人によく見られるように誤報を発し続けたとしても、それは依然として合理的と見なしうる。あなたの脳は、頻繁な資源の引き出しによって身体予算が枯渇したとしても、引き続き存在すると信じている脅威から自己を守ろうとしているのだから。問題は、脳が何を信じているかにある。この信念は新たな環境にはふさわしくなく、脳は現状にうまく適応できていない。ならばわれわれが「心の病」と呼ぶ状態は、直面している環境や他者のニーズ、あるいは将来の自己の利益と調和しないが短期的には合理的な身体予算管理に基づくものなのかもしれない。
それゆえ合理的な行動とは、現状に見あった妥当な身体予算の投資を意味する。活発に運動していると、血中に大量のコルチゾールが送り出されるので不快になる。それでもわれわれは運動を合理的と見なす。なぜなら、運動は自分の将来の健康に資するからだ。同僚に批判されたときに生じるコルチゾールの分泌も合理的と見なしうる。というのも、多量のグルコースが利用可能になり、何か新しいことを学べるからである。

この考えを真摯にとらえるなら、社会で通用しているあらゆる種類の神聖な制度の基盤が揺るがされる。たとえば法の世界では、弁護士は、苦悩にあった被告の情動が理性を圧倒し、よって自己の行動に全責任を負える状態にはなかったと申し立てる。しかし苦悩を感じることは、非合理的であることを意味しない。また、いわゆる情動脳が理性的な脳を乗っ取ったことを意味するのではない。苦悩は、その人の脳の全体が、予想される支払いに向けて資源の預金を取り崩していることを示す証拠になる。

社会の数々の制度も、自己の内なる戦争という見立てにとりつかれている。経済の領域では、投資行動のモデルは理性的な行動と情動的な行動の明確な区分を前提にする。政治の世界では、たとえばかつて業界でロビー活動をしていたリーダーが、現在ではその動きを監視しなければならないなど、明確な利害の葛藤を抱えている。彼らは、いとも簡単に情動を抑えて、人民のために合理的な判断を下せると考えているのだ。このような気高い理想の背後には、三位一体脳の神話が控えている。

あなたの脳はひとつしかない。3つではない。はるか昔にプラトンが提起した闘争のたとえを克服するために、われわれは合理性、自己の行動に対する責任、そしておそらくは人間の本性について、根本から見直す必要がある。

Lesson 2

脳はネットワークである

地球上の脳《ブレイン》たちは、数千年にわたって脳について考えてきた。アリストテレスは、脳を車のラジエーターにも似た心臓のための冷却室と見なしていた。中世の哲学者たちは、頭蓋腔に人間の魂が宿ると主張した。19世紀には、脳をジグソーパズルとして描く骨相学が流行した。それによれば脳の各部位は、自尊心、破壊性、愛情など、その部位に固有の人間の性質を生み出す。

冷却室、魂の家、ジグソーパズル——これらの見立てはすべて、脳の性質や機能を理解するべく考案された比喩《メタファー》にすぎない。

現代に生きるわたしたちも、実のところ単なるメタファーであるにもかかわらず〝脳に関する事実〟と見なされている情報に囲まれている。たとえば「左脳は論理的で右脳は創造的」という話を聞いたことがあるかもしれないが、それもメタファーだ。あるいは心理学者ダニエル・カーネマンの著書『ファスト&スロー——あなたの意思はどのように決まるか?』で論じられている、脳にはシステム1(迅速な直観的反応)

とシステム2（緩慢な熟慮的プロセス）が備わっているという考えかたもメタファーにすぎない（カーネマンはシステム1とシステム2は心に関するメタファーだとはっきり述べているが、多くの人がこれを脳の構造を指すと誤解している）。また、人間の心を、生存のために進化した恐れ、共感、嫉妬などの心理的ツールのための「心の器官」の集合としてとらえる科学者がいるが、脳はそのようには組織化されていない。さらにいえば、脳はある部位がオンになり、他の部位がオフになるかのごとく活性化して「光る」のでもなければ、コンピューターファイルのごとくあとで取り出して開けるよう記憶を「蓄積する」のでもない。このような見かたは、今や時代遅れになった、脳をめぐる信念に由来するメタファーにすぎない。

　脳がこれらのメタファーで示すようなありかたでは機能していないのなら、また、三位一体脳説が神話にすぎないのなら、人間という動物を人間たらしめている脳とはいったい何なのか？　いかなる脳が、協力や言語の能力、あるいは他者が何を考え、何を感じているのかを推測する能力をわれわれに授けているのか？　人間の心を生み出すには、いかなる脳が必要なのか？

　以上の問いに答えるために、ひとつの重要な洞察を確認することからはじめよう。脳とは、ひとつの統合体として機能するべく相互接続された、いくつかの部位の集まり、すなわちネットワークである。[1] われわれの身の回りには、さまざまなネットワークが存在する。インターネットは無数の装置が接続されたネットワークであり、アリ塚はトンネルによってつながった地下の部屋からなるネットワークだ。またソーシャルネットワークは、相互に結びつけられた人々の集まりである。それと同様、脳はたったひとつの巨大で柔軟な構造へと結合された1280億のニューロンからなるネットワークなのだ。[2]

脳のネットワークといういいかたは単なるメタファーではなく、脳の進化、構造、機能に関する最新の科学的知見に基づいている。[3] これから見ていくように、脳のネットワークの構造に関する知見は、人間の脳が心を生むことを可能にした要因の理解に向けて一歩を進めてくれる。

1280億の個々のニューロンが、いかにしてたったひとつの脳のネットワークへと織り上げられているのか？　概していえば、各ニューロンは小さな樹木のように見える。[4] 先端には灌木《かんぼく》のような枝が茂り、幹は長く、下端には根が生えているように見えるのだ（そう、これはメタファーだ！）。樹状突起と呼ばれる灌木のような枝は他のニューロンからシグナルを受け取り、軸索《じくさく》と呼ばれる幹は根の部分を介して他のニューロンにシグナルを送り出す。

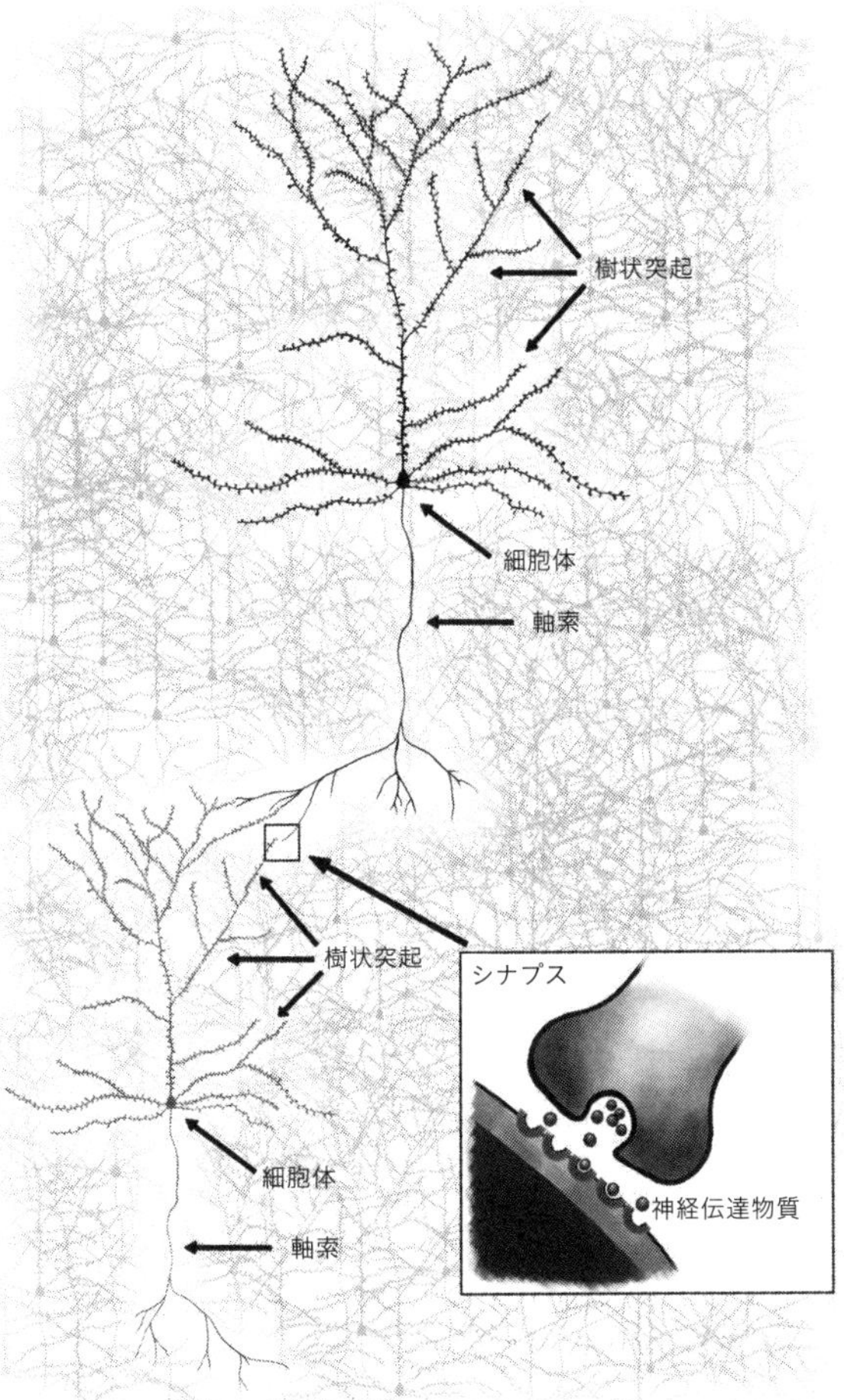

ニューロンとその配線

１２８０億のニューロンは、発火することで日夜継続的に連絡を取りあっている。ニューロンが発火すると、電気シグナルが幹を伝って根の部分に達する。シグナルを受け取った根の部分は、シナプスと呼ばれるニューロンとニューロンの隙間に化学物資を分泌する。分泌された化学物質は隙間を渡り、相手ニューロンの灌木の枝のような先端に取りつく。すると受け手のニューロンが発火し、それによってニューロンからニューロンへと情報が伝達される。

この樹状突起、軸索、シナプスの配置が、１２８０億の個々のニューロンをひとつのネットワークへと織り上げており、本書では簡潔を期すべく、この配置の全体を脳の「配線」と呼ぶ。[5]

脳のネットワークはつねにオンの状態にある。ニューロンは周囲の世界によってスイッチが入るのをじっと待っているのではなく、全ニューロンが、その配線を通じてつねに会話している。この会話は、身体の内部や外界で何が起こっているかによって強くなったり弱くなったりするものの、あなたが死ぬまで決して途絶えることはない。

脳内のコミュニケーションにおいては、速さとコストのあいだのバランスが保たれている。各ニューロンは、他の数千のニューロンに直接情報を送り、他の数千のニューロンから情報を受け取っている。かくして総体では５００兆以上のニューロン同士の結合を形成している。これは実に大きな数だが、ネットワークの全ニューロンが他のあらゆるニューロンと直接会話していれば、その数は恐ろしく膨大なものになる。そのような構造は莫大な数のニューロン間の結合を必要とするため、その維持のために資源はたちまち尽きてしまうだろう。

したがって脳は世界の航空ネットワークのごとく（これもメタファー！）、質素な配線構成を取っている。航空ネットワークは、世界中に散在するおよそ1万7000もの空港から構成される。脳は電気的シグナルや化学的シグナルを伝達するのに対し、航空ネットワークは乗客（や荷物）を運ぶ。各空港は他の一部の空港と直行便で結ばれているが、他のすべての空港と結ばれているわけではない。あらゆる空港が他のすべての空港と航路を結んでいれば、航空交通量は年間数十億の単位で増え、そうなれば利用可能な燃料、パイロット、滑走路が尽き、やがて全航空システムが崩壊に至るだろう。だが実際には、一定の空港が中枢《ハブ》として機能することで、残りの空港の負担を軽くしている。ネブラスカ州のリンカーンとイタリアのローマのあいだには直行便はない。だから、まずはリンカーンからハブ空港（ニュージャージー州にあるニューアーク・リバティ国際空港など）に飛び、そこで国際線に乗り換えてローマに向かうことになる。ふたつのハブ空港と3つの航路を利用することもあるだろう。ハブを含む航空システムは柔軟で伸縮可能《スケイラブル》〔量的規模が変化しても質的に同様に機能すること〕であり、それによって海外旅行を実現させている。ハブを介して、地方空港を含めたあらゆる空港が、世界規模の航空網に参加できるのだ。

脳のネットワークも、それと非常によく似た構成を取っており、脳のニューロンは、空港のようにクラスターへとグループ化されている。クラスターに出入りする結合のほとんどは、地方空港のようにおもに局所的なやり取りに寄与している。加えて、コミュニケーションのハブとして機能するクラスターもある。それらは他の多くのクラスターと濃密に結合しており、ハブのニューロンの軸索には遠方の脳領域に達し、長距離結合を形成しているものもある。脳のハブは空港のハブと同様、複雑なシステムが効率的に機能できるようにする。つまり局所的な仕事に従事しているものを含めてほとんどのニューロンを、脳全体にわたる仕事に参加できるようにしているのだ。このようにハブは、脳全体のコミュニケーションの主力として機能している。

ハブはきわめて重要なインフラである。ニューアーク・リバティ国際空港やロンドン・ヒースロー空港のような主要なハブ空港が機能を停止すれば、遅延と運休が世界中に波及するはずだ。では、脳のハブが機能を停止したらどうなるのだろうか？　ハブに対するダメージは、うつ、統合失調症、失読症、慢性疼痛《とうつう》、認知症、パーキンソ

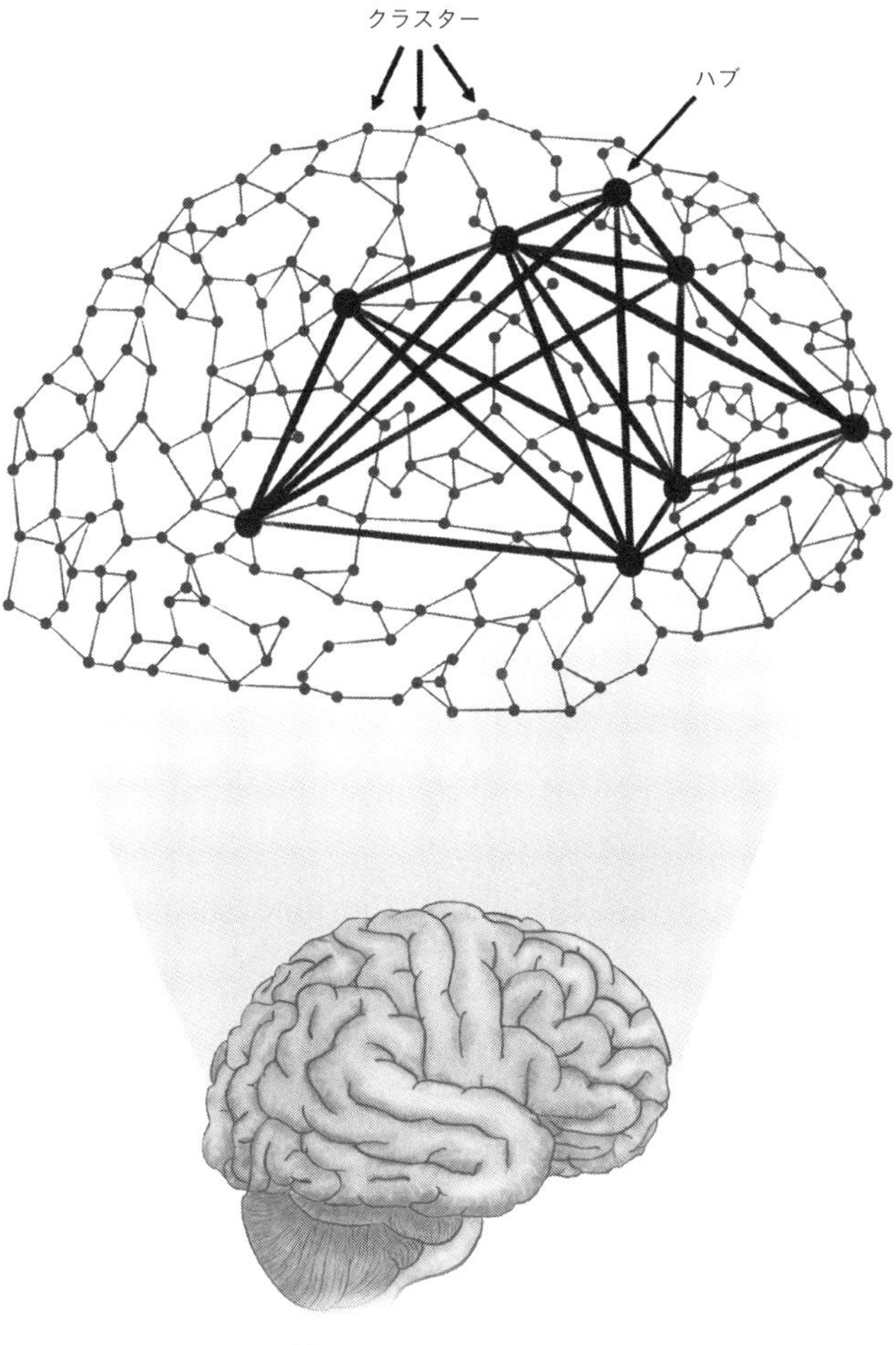

ハブによって結びつけられたニューロンのクラスター

ン病などの疾病に結びつく。ネットワーク内でハブが脆弱性の拠点になる理由は、それが効率性の結節点《ノード》として機能しているからだ。脳のハブは、身体の内部にある脳が身体予算を枯渇させずに機能することを可能にしている。

この簡素かつ強力なハブ構造は、自然選択のおかげで誕生した。科学者たちの見解によれば、進化の過程を経てニューロンがその種のネットワークに組織化されていったのは、その構造が強力で作用が迅速であるにもかかわらず、エネルギー効率にすぐれ、頭蓋内に収まるほどの大きさで済むからだ。

脳のネットワークは固定されておらず、つねに変化している。めまぐるしく変化している部位もある。脳の配線は、ニューロン間の局所的な結合を補完する化学物質に浸されている。グルタミン酸、セロトニン、ドーパミンなどの神経伝達物質と呼ばれる化学物質は、シグナルがシナプス越しに伝達されるのを容易にしたり困難にしたりする。神経伝達物質は、改札係、保安検査員、地上整備員などの、空港内で乗客の流れの管理に携わる空港職員に似ている（基本的には円滑な運航を目指すが遅延の原因をもたらすこともある）。彼らの働きがなければ、わたしたちは飛行機での旅行ができない。ネットワークの変化は、物理的な脳の構造が変化していないように見えたとしても、瞬時かつ継続的に起こっている。また、セロトニンやドーパミンのような化学物質は、他の神経伝達物質に作用して、その効果を強めたり弱めたりする。ちなみに、そのようなありかたで作用する脳の化学物質は神経修飾物質と呼ばれており、空港間で遭遇する天候のようなものと見なせるだろう。晴天なら飛行機は速く飛ぶが、荒天であれば地上待機させるか迂回させるかしなければならない。神経修飾物質と神経伝達物質があわさって、たったひとつの脳が数兆もの活動パターンをとることを可能にしているのだ。

また、比較的ゆるやかなネットワークの変化もある。古くなった空港のターミナルビルが増築されたり改装されたりするように、脳もつねに建設中の状態にある。ニューロンは死ぬこともあれば、特定の部位では新たに生まれることもある。ニューロン間の結合の数は増減し、ともに発火するニューロンは結合を強め、そうでなければ結合は弱まる。科学の世界で「可塑性《かそせい》」と呼ばれるこれらの変化は一生続く。初めて会った人の名前やニュースで聞いた興味深い情報など、新たに何かを学習したとき、その経験は脳の配線へとコード化されて記憶される。こうして時間が経過するにしたがい、脳の配線はコード化を通じて変化していく。

脳のネットワークは別のありかたでも動的である。会話の相手を変えることで、ひとつのニューロンが異なる役割を担う場合があるのだ。一例をあげよう。後頭皮質と呼ばれる脳領域は視覚に関与しているため、一般に視覚皮質と呼ばれている。[6] しかし後頭皮質のニューロンは、聴覚や触覚に関する情報も恒常的に伝達している。事実、視覚が正常な被験者に数日間目隠しをして点字の読みかたを教えると、視覚皮質のニューロンは触覚に寄与する度合いが高まる。[7] その後目隠しをはずすと、24時間後にはその効果が失われる。また重度の白内障を持って生まれ、脳が視覚入力を受け取れない新生児の視覚皮質のニューロンは、他の感覚のために転用される。

　脳のニューロンには、さまざまな仕事をこなせるほど柔軟な結合をしているものもある。たとえば背内側《はいないそく》前頭前野《ぜんとうぜんや》（ｄｍＰＦＣ）と呼ばれる前頭前皮質の部位がある。この領域はつねに身体予算管理の仕事を担っているが、それ以外にも記憶、情動、知覚、意思決定、苦痛、道徳的判断、想像、言語、共感などの仕事にも恒常的に関与している。

　概していえば、たったひとつの心の機能に特化したニューロンは存在しない。ただし、機能によって関与の度合いは異なりうる。科学者が「視覚皮質」「言語ネットワーク」というような機能を示す名称を用いたとしても、その名称は当該の脳領域がたったひとつの機能だけを果たすことを示すのではなく、それを口にした科学者の関心の焦点を反映しているにすぎない場合が多い。すべてのニューロンがあらゆる仕事をこなせるわけではないとしても、ひとつの空港が航空機の離発着、チケットの販売、食事の提供などのさまざまな仕事を果たしているのと同様、いかなるニューロンも複数の仕事をこなせるのだ。

異なるニューロン群が同じ結果を生むこともある。ここで、電話やチュコレートバーなど、自分の目の前にある物体に向けて手を伸ばし、それからいったん手を引っ込めて、もう一度正確に同じことをしてみよう。このような単純な行為でさえ、複数回なされると、そのたびに異なるニューロン群が関与する。この現象を「縮重《しゅくじゅう》」と呼ぶ。

科学者たちは、あらゆる生物学的なシステムが縮重を備えているのではないかと考えている。たとえば遺伝では、同じ目の色でも異なる遺伝子の組みあわせで生み出されることがある。嗅覚も免疫系も縮重によって機能する。運輸システムも同様だ。ロンドンからローマに行くとしても、さまざまな航空会社、経路、航空機、座席、乗務員のサービスを利用できる。また、副操縦士はパイロットの仕事を代行できる。脳の縮重は、行動や経験がさまざまな方法で生み出されうることを意味する。たとえばわたしたちが恐れを感じるごとに、脳は異なるニューロン群によってその感情を構築している。

脳をネットワークとして理解することがいかに有益かをここまで見てきた。この見かたは、可塑性による緩慢な変化、神経伝達物質や神経修飾物質による迅速な変化、複数の仕事をこなせるニューロンの柔軟性など、脳の動的な活動の多くをうまくとらえている。

ネットワーク構造にはもうひとつの利点がある。人間の心を生むにあたって鍵を握る、特別な性質を脳に与えてくれるのだ。この性質は「複雑性」と呼ばれ、それによって脳は膨大な数の神経パターンへと自己を構成することができる。

一般に複雑性を持つシステムは、相互に連絡して協力しながらさまざまな活動パターンを生み出す、多数の部位から構成される。世界の航空システムは複雑性を備えている。というのも改札係、航空管制官、パイロット、航空機、地上整備員などの空港の構成要素は、システム全体がうまく機能するよう相互依存しているからだ。複雑性を備えたシステムの働きは、それを構成する各部位の働きの総和以上のものになる。

複雑性は、あらゆる状況に柔軟に対応する力を脳に与えている。この力は、抽象的な思考力、豊富な話し言葉、未来を想像する能力、創造力、飛行機や橋梁《きょうりょう》や清掃ロボットを生み出す能力を獲得するに至る道を、人間に開いてくれた。複雑性はまた、人間が身近な環境を超えた世界、さらには宇宙空間についてさえ想いを馳せ、他の動物にはなしえないレベルまで過去や未来を考慮に入れることを可能にした。もちろん複雑性だけがこのような能力を与えてくれたのではない。他の多くの動物も複雑な脳を持っているのだから。しかし複雑性はこれらの能力に不可欠の要素であり、人間の脳にはそれがふんだんに備わっている。

では、脳の複雑性は何から構成されているのか？　数十億のニューロンが、神経伝達物質や神経修飾物質などの動的な手段を用いて、他のいくつかのニューロンにシグナルを一斉に送信しているところを想像してみよう。この構図は脳活動のひとつの「パターン」と見なせる。脳が複雑性を備えているという事実は、すでに作り出したパターンを部品として組みあわせることで、膨大な数のパターンを生み出せることを意味する。だから脳は、過去に役立ったいくつかのパターンを再生して新しいパターンを生成し試すことで、状況が刻々と変化する世界のなかで効率的に身体を運用できるのである。

システムの複雑度は、システム自体を再調整することでどれくらいの量の情報を処理できるかによって決まる。[8] 世界の航空システムは、その点で複雑度が高い。乗客は、さまざまな経路を使って世界のほぼいかなる場所へも行ける。新しく空港が開設されたら、システムはそれを取り込めるよう構成を変える。ある空港が竜巻の被害を受けたときには、乗客はしばらく待たされるかもしれないが、じきに航空会社はその空港を迂回するよう経路を変更するはずだ。それに対して複雑度が低いシステムは、それ自体をうまく再構成できない。ひとつの経路にただひとつの飛行計画しかなければ、あるいはすべての航空機がたったひとつのハブ空港から発着せざるを得ないのなら、その航空システムの複雑度は低い。ひとつしかないハブ空港が閉鎖されれば、システム全体が機能しなくなるからだ。

　ここで複雑度について理解するために、人間の脳より複雑度が低いふたつの架空の脳について考えてみよう。ひとつ目の架空の脳は、あなたの脳と同じくおよそ１２８０億のニューロンからなるが、あなたの脳とは違って全ニューロンが他のあらゆるニューロンに接続されている。そのような脳では、あるニューロンがシグナルを受け取って発火率を変えると、他のすべてのニューロンもやがて同様に変化する。すべてのニューロンが互いに結合しているからだ。本書では、かくも均一な構造を持つこの脳を「ミートローフ脳」と呼ぶことにする。[9] 機能的な観点からすれば、ミートローフ脳はあなたの脳より複雑度が低い。というのは、あらゆる時点で、１２８０億の構成要素が、実質的に単一の要素として機能しているからだ。

　ふたつ目の架空の脳は、同様に１２８０億のニューロンからなるが、19世紀の骨相学者が考えていたように視覚、聴覚、嗅覚、味覚、触覚、思考、感情などの機能に特化したパズルのピースのように個々の部位に切り分けられている。専用ツールの束にも似たこの脳を「ポケットナイフ脳」（アーミーナイフのような多目的ナイフを想像されたい）と呼ぶことにしよう。[10] ポケットナイフ脳は複雑度がミートローフ脳より高いが、あなたの脳よりはるかに低い。なぜなら、個々のツールはポケットナイフ脳が生み出しうる活動パターンの総数をほとんど増やさないからである。たとえば14種類のツールを束ねたポケットナイフは、およそ1万6000（正確にいえば2^{14}）通りのパターンを生み出せるが、そこに15個目のツールを加えてもパターンの総数は倍になるにすぎない。[11] それに対してあなたの脳のニューロンは、幾何級数的にパターンの数が増えていく複数の機能を持つ。1個のポケットナイフに束ねられた14種類のツールの各々に、ひとつずつ機能が加えられたとすると（ナイフを栓抜きとして使い、ドライバーを穴あけとして使うなど）、それによって実現可能なパターンの総数は、2^{14}通りから400万通り以上（3^{14}）にはねあがる。要するに既存の脳の部位がより柔軟になれば、新たな部位をつけ加えるより脳の複雑度が飛躍的に向上するということだ。

ミートローフ脳やポケットナイフ脳にも相応の利点があろうが、複雑度の高い脳はこれらを凌駕する。

複雑度の高い脳は記憶容量も大きい。脳はパソコンで使うファイルのように記憶を蓄えるのではなく、電気パルスや渦巻く化学物質を用いて需要に応じて記憶を再構築している。このプロセスは「想起」と呼ばれるが、実際には「組み立て《アセンブル》」というべきだろう。複雑な脳は、ミートローフ脳やポケットナイフ脳よりはるかに多くの記憶を組み立てることができる。また同じできごとを思い出すときにも、記憶はその都度異なった一連のニューロンによって組み立てられる（これは縮重の一例である）。

複雑度の高い脳は、創造力《クリエイティビティ》にも富み、過去のさまざまな経験を新たなありかたで結びつけ、未経験のできごとにもうまく対処できる。たとえば、あなたが一度も見たことがない丘やはしごを躓《つまず》かずによじ登れるのは、過去に似たような丘やはしごを登ったことがあるからだ。複雑な脳は、場合に応じて異なった身体予算管理が求められるような変化する環境に、より迅速に自己を調節する能力を持つ。人類がさまざまな気候条件や社会構造のもとで繁栄を謳歌している理由のひとつもそこにある。赤道地帯から北欧へ、あるいは規律の緩い文化から厳格な文化の国へ移住したとしても、複雑な脳を備えたあなたなら、真新しい環境にもじきに適応できるはずだ。

それに加え、高度な複雑性は負傷に対する脳の耐性を高めている。一群のニューロンが機能を停止しても、他のニューロン群が肩代わりしてくれるからだ。複雑な脳が自然選択によって選好された理由のひとつはそこにある。ポケットナイフ脳はこの能力を備えていない。あるニューロン群の喪失は、対応する機能の喪失を意味する可能性が高いからだ。

人間の脳は、地球上でもっとも複雑な脳のひとつだが、複雑度の高い脳を持つ動物は人間だけではない。知的な行動は、構造の異なる脳を持つさまざまな動物種において何度も出現してきた。たとえばタコを見てみよう。タコの複雑な脳は全身に遍在している。タコはパズルを解く能力を持ち、水族館の水槽を壊すことさえできる。鳥類の脳も複雑だ。ニューロンが大脳皮質に組織化されていないにもかかわらず、単純な道具を使う種や、少しばかり言語能力を備える種もある。高度に複雑化した人間の脳は、進化の頂点に位置しているわけではなく、自分たちが暮らす環境にうまく適応しているにすぎない、と覚えておこう。

高度な複雑性は、人間を人間たらしめるに必須の条件かもしれないが、それだけが人間の脳に心を生み出す力を与えているのではない。旧石器時代の人類の祖先が岩のかたまりを見て、そこに手斧を思い浮かべるためには、複雑な脳以上の何かを必要とした。同様に、現代に生きるわれわれが一片の紙や金属やプラスチックを見て、素材が異なるにもかかわらずそれらすべてを通貨として使えるなど、類似の機能を持つものとして思い浮かべるためには、高度な複雑性以上の何かを必要とする。高度な複雑性は、初めて見る階段を登れるようにしてくれるが、出世の階段を上って権力や影響力を行使することとはいかなる意味かを理解できるようになるためには、それだけでは足りない。さらにいえば、人間の脳の本質について考察し、「三位一体脳」「システム1とシステム2」「心の器官」などといった脳に関する数多《あまた》の創造的なメタファーを編み出すためには、高度な複雑性以上の何かが必要だ。以上のような想像力の発揮は、真に大きな脳に包含された高度な複雑性以外にも、以後の章で学ぶ他のいくつかの要素を必要とする。

すでに述べたように、「脳のネットワーク」はメタファーではない。これは現時点での脳に関する最良の科学的記述であり、いかにひとつの物理的構造が一瞬のうちにそれ自体を再構成し、膨大な量の情報を効率的に統合できるのかを教えてくれる。また、複雑度を測定すれば、さまざまな形態の脳の類似性や差異が明らかになる。さらには、損傷を受けた脳がいかに欠損部分を埋めあわせるのかがわかる。

かくいうわたしも、ネットワークについて説明する際、いくつかのメタファーを用いた。例をあげると「配線」はメタファーである。ニューロンは文字通りの意味で配線されているわけではなく、シナプスと呼ばれる狭い隙間によって隔てられ、化学物質によって結合が補完されている[12]。また、ニューロンは枝や幹を持つ樹木ではないし、脳内に空港などない。

メタファーは、複雑なものごとをよく知られた単純な用語で説明する際に極めて便利である。しかし、メタファーの持つ単純さは文字通りの説明としてとらえられると大きな障害になる。たとえば生物学では、遺伝子はときに「青写真《ブループリント》」と呼ばれる。このメタファーを文字通りにとらえると、各遺伝子が、特定の性質や身体部位を生むなどの決まりきった機能をつねに果たしていると考えたくなるだろう（この見かたは間違いだ）。光は波の形態で伝わると物理学者が主張することがあるが、このメタファーは、空間が大洋と同様、波が伝わる何らかの物質を含んでいるという印象を与える[13]（この見かたも間違いである）。メタファーは事実に即した知識であるかのような幻想を与えるため、用心して使わなければならない。

頭蓋に収まる複雑なネットワークはメタファーではないとしても、そのいいかたは完全ではない。脳はニューロンの集まり以上のものである。そこには血管や、ここまで言及しなかったさまざまな液体や、グリア細胞のようなニューロン以外の脳細胞も含まれる。ちなみに、グリア細胞の機能はまだ完全には解明されていない。驚くべきことに、脳のネットワークは内臓にも拡張されているらしい。というのも科学者の発見によれば、内臓には化学物質を用いて脳と連絡を取りあう微生物が宿っているからだ。

脳と脳内の相互結合を解明する研究がさらに進めば、脳の構造と機能を理解するための画期的な方法が見つかるかもしれない。それまでは、脳を複雑なネットワークとしてとらえることで、理性を生む特大の新皮質などといった概念をいっさい持ち出さずに、人間の脳がいかに心を生み出すのかについて考えることができるだろう。人間の脳が進化の頂点に位置するとすれば、それはその複雑性において頂点を極めたのだ。

Lesson **3**

小さな脳は外界にあわせて配線する

多くの動物が、生まれた時点では人間の新生児よりも有能であると気づいたことはあるだろうか？[1]　ガーターヘビは誕生とほぼ同時に這いはじめ、ウマは誕生後まもなく歩き、チンパンジーの乳児は母親の体毛にまといつく。それに比べて人間の新生児は情けないほど無力で、手足のコントロールさえままならない。その小さな手で意図的にものを叩けるようになるまで数週間かかる。多くの動物は身体をコントロールできるくらいにまであらかじめ配線された脳を備えて卵や子宮から生まれてくるのに対し、人間の新生児はいわば建設中の脳を持って生まれてくる。25年くらいかけて主な配線を完了するまで、人間の脳が成人段階の完全な構造や機能を持つことはない。

しかしなぜ人間は、中途半端に配線された脳を持って生まれてくるよう進化したのだろうか？　確かなことは誰にもわからない（自説を開陳してくれる科学者は大勢いるだろう）。だが、誕生後の配線指示がどこから発するものか、そして誕生後に配線を進めるというありかたの利点がどこにあるのかなら学ぶことができる。

科学者たちはよく、「生まれか育ちか」という見地からこの問題を論じている。人間性のどの側面が生まれる前から遺伝子として組み込まれているのか、また他のどの側面が文化から学んだものなのかを議論しているのだ。しかしこの区別は錯覚にすぎない。いかなる人間の性質についても、遺伝子か環境かのどちらか一方に原因を求めることはできない。なぜなら、これらは熱烈なタンゴを踊る恋人同士のようなものであり、非常に深く絡みあっているがゆえに「生まれ」や「育ち」のような言葉で区別しても無益だからだ。

乳児の遺伝子は、かなりの程度、環境に導かれて調節される。たとえば、おもに視覚において中心的な役割を担う脳領域は、乳児の網膜が規則的に光にさらされていた場合に限って正常に発達する。また乳児の脳は、耳の特定の形状に基づいて外界の音の位置を確かめられるよう学習していく。さらに奇妙なことに、乳児の身体は外界からもぐり込んできたいくつかの追加の遺伝

保護者は乳児の脳の配線に必須の役割を果たす

子を必要とする。これらの小さな訪問者は、細菌や他の生物の内部に運ばれて宿り、脳に影響を及ぼすが、その方法は科学者がようやく理解しはじめたばかりだ。

乳児の脳の配線は、物理的な環境のみならず、社会的な環境、すなわち保護者や身近な人々によっても指示される。腕に抱いた新生児をあやす母親は、自分の顔をちょうどよい距離まで近づけて、新生児の脳に、顔を精査し識別するよう教え込んでいるのだ。また、箱や建物を見せて、縁《へり》や角《かど》を検知できるよう新生児の視覚系を訓練している。ほかにも乳児への働きかけ――肝心なときに抱っこする、話しかける、目をあわせるなど――は、必要不可欠なありかたで乳児の脳を恒久的に彫琢《ちょうたく》する。遺伝子は、乳児の脳の配線の確立に大事な役割を果たすが、それと同時に遺伝子は、新生児の脳を文化という背景のなかでわたしたちが配線することも可能にしている。

情報が外界から新生児の脳に伝わると、いくつかのニューロンが他のニューロンより頻繁に同期して発火するようになり、それによって可塑性と呼ばれる段階的な脳の変化が引き起こされる。この変化は、「チューニング」と「プルーニング」と呼ばれるふたつのプロセスによって、乳児の脳を複雑度が高まるよう導いている。

チューニングは、とりわけ頻繁に使われるニューロン間の結合、あるいは身体資源（水分、塩分、グルコースなど）の管理に必須の役割を果たす結合の強化を意味する。あらためてニューロンを小さな樹木にたとえてみると、チューニングは、木の枝のような形状をした樹状突起が灌木のように生い茂り、木の幹に似た軸索が、ミエリンの外套《がいとう》を厚くすることを意味する。ちなみにミエリンとは、電線を覆う絶縁体のような脂肪質の「樹皮」で、シグナルの伝達を速める物質である。十分にチューニングされた結合は、不十分な結合に比べて効率よく情報を伝達して処理するので、再利用される可能性が高い。これは、脳が十分にチューニングされた結合が関与する神経パターンを再生しやすくなることを意味する。よく神経科学者がいうように、「ともに発火するニューロン同士は結合を強める」のだ。[2]

その一方、あまり出番のない結合は次第に弱まり、やがて死ぬ。このプロセスはプルーニングと呼ばれ、日常の言葉でいえば「使われないものはなくなっていく」というところだ。プルーニングは脳の発達に不可欠である。というのも、人間は最終的に使われる分よりはるかに多くの神経結合を持って生まれてくるからだ。人間の胎児は、成人の脳に必要な数の2倍のニューロンを生成する。また乳児のニューロンは、成人の脳のニューロンより濃密に生い茂っている。ニューロン同士の結合は、当初は使われていなくてもやがて多様な環境にあわせて調整されていく。しかし長期的な観点から見れば、使われない結合は代謝の面で負担になる。有益なことは何もしないため、脳にとってその維持はエネルギーの浪費にしかならないからである。幸いにも、余分な結合を刈り取るプルーニングは、有益な結合のチューニングを促し、さらなる学習の余地を広げる。

チューニングとプルーニングは、乳児の周囲の物理的、ならびに社会的な環境や、乳児の身体の成長や活動に駆り立てられて、継続的に、そしてしばしば同時に生じる。また両プロセスとも生涯続く。灌木のような樹状突起は発芽し続け、脳はそれを対象にチューニングやプルーニングを実行し続けるのだ。そしてチューニングされなかった芽は数日以内に消える。

次に、新生児の脳から典型的な成人の脳への発達を始動させるチューニングやプルーニングの事例を3つ紹介しよう。この3例は、未完成の脳の配線が、いかに外界から入り込む配線指示に駆り立てられて、生後数か月、数年のあいだに完成していくかを示す。

まずひとつ目の事例では、身体予算がどのように管理されるのかを考察する。わたしたちは、空腹になると冷蔵庫のドアを開ける。疲れると眠る。寒さを感じるとコートを着る。いらいらするときには深呼吸をして落ち着こうとする。しかし乳児は、ひとりではそのような対処ができない。手助けがなければげっぷさえできないのだ。

だから保護者が必要になる。保護者は、授乳する、睡眠時間を決める（あるいは決めようとする！）、毛布にくるんで抱っこする、などのケアで乳児の物理的環境を整えてやり、それを通じて身体予算を調節する。またそのおかげで、乳児の脳は身体予算を安定して維持でき、体内システムが効率的に機能する。かくして、乳児は健やかに育っていくのだ。

保護者が効率的に手助けしてあげれば、乳児の脳は自在にチューニングやプルーニングを実行し、健全な身体予算の管理ができる。乳児の脳が徐々に自力で身体をコントロールできるようになり、抱っこされなくても眠れて、顔をよごさずにバナナを食べられるようになってくると、保護者の負担は減っていく。こうして小さな脳は、ひとりでセーターを着て、自分で朝食を食べるようになるまで数年を要するものの、じきに自分の身体予算に対する責任を主体的に負うようになっていく。

小さな脳は、保護者がしないことによっても配線される。乳児にひとりで眠らせず、保護者が毎晩あやして寝かしつけていては、乳児の脳はひとりで眠れるよう学習できない。あるいは、乳児が延々と泣き叫んでいても気づかないような酷い育児では、乳児の脳は、世界が信頼できない危険な場所であると学習し、身体予算の管理がほったらかしになるだろう。

しかし、よちよち歩きをはじめる幼児になると状況は変わる。その頃の幼児の脳は、癇癪《かんしゃく》を起こしたあとで自らの身体を鎮静させるすべを覚えだす。やがて、そもそも癇癪を起こさないよう身体予算を管理する方法を自ら学ぶ必要に迫られてくる。わたしの娘が小さかったころ、彼女の脳に身体を鎮静させる方法を学習させるためには、むやみに干渉しないほうがよい、ということがわかった。一般によちよち歩きの幼児は、保護者があらゆるニーズを満たしてやるのではなく、自力で学習する機会を与えたほうが、自己の身体予算管理のしかたをスムーズに学びとる。育児の要諦のひとつは、介入すべきとき、すべきでないときの見極めにある。

チューニングとプルーニングについてのふたつ目の事例は、注意を払う能力をどう学習するかに関係するものだ。群衆のなかにいるとき、とくに周囲の会話に耳を傾けていなかったのに、誰かが自分の名前を口に出すのを聞いてそちらに振り向いたことはないだろうか？（科学者はこれを「カクテルパーティー効果」と呼ぶ）。成人の脳は、暗闇のなかのスポットライトのように、特に努力を要せずにあるひとつのことに焦点を絞って、それ以外を無視できるようになる。なぜなら脳のネットワークには、特定の細部を重要なものと見なしてそれに焦点を絞り、他の不要な要素を切り捨てる機能を担うニューロン群が備わっているからだ。つまり成人の脳は、自動的かつ継続的に注意のスポットライトの焦点を絞っている。その際、本人が自覚していないことも多い。
ときには、わたしたちは注意のスポットライトの焦点を絞るのに助けを必要とする。だからノイズキャンセリングヘッドフォンがとてもよく売れるのだ。しかし新生児の脳は、周囲の環境を広く照らし出すランタン程度のものしか備えておらず、注意のスポットライトを備えていない。[3] ゆえに新生児の脳は、何が重要で何が不要かを区別できない。だから成人のようには注意の焦点を絞れないのだ。ランタンの明かりをスポットライトへと凝集する脳の配線を欠いているともいえよう。

この不足は、ここでも社会との接点たる保護者が補ってくれる。保護者はつねに、乳児の注意を関心事に向けさせる。たとえば母親は小型犬を抱き上げて、それに目を向ける。次に乳児を見て、またイヌを見る――こうして乳児の視線を導くのだ。彼女は乳児を見ながら、「か～わいいワンちゃんよ～」と歌うように語りかける。母親の言葉と乳児とイヌのあいだを行ったり来たりする視線〈〈注意の共有〉と呼ばれる〉は、イヌが重要であることを、すなわち身体予算に影響を及ぼすため、それが注意を向けるべき対象であることを学習させるのである。

乳児は〈注意の共有〉によって、環境のどの部分が重要でどこが不要かを徐々に学んでいく。やがて乳児の脳は、身体予算に関わるものと無視できるものからなる独自の環境を構築できるようになっていく。この独自の環境を「生態的地位《ニッチ》」と呼ぶ。あらゆる動物が固有のニッチを持つ。世界を感知し、意義ある動作を行ない、身体予算を調節しながらニッチを築いていくのだ。人間の成人は、おそらくは生物界で最大のニッチを持つ。あなたのニッチは身近な環境をはるかに超えて広がり、それには世界中で起こった過去、現在、未来のできごとが含まれる。

保護者と〈注意の共有〉を数か月間実践したあと、乳児は共有された注意を保護者から引き出すすべを学ぶ。身体予算に影響を及ぼすものがニッチ内に存在するか否かを確認するかのように、保護者を見るようになるのだ。かくして乳児は、さらに効率よく重要なものごとに注意を向けられるよう学んでいくのである。

チューニングとプルーニングの3つ目の事例は、感覚の発達に関係する。乳児は誕生後数か月間、話し声を含めてあらゆる種類の音に浸されている。ランタンのような注意力しか備えていない新生児は、身の周りのあらゆる音を取り込む。実験室では、新生児はめったに耳にしないものも含め、広範な言語音を識別できる。だが時が経つにつれ、乳児の脳はチューニングとプルーニングによって、よく耳にする音声に基づいて配線されていく。頻繁に聞く音は特定の神経結合のチューニングを引き起こし、乳児の脳はそのような音をニッチの一部として扱いはじめる。まれにしか聞かない音はノイズとして無視され、やがてそれに関連するニューロンは使われなくなり、プルーニングされる。

成人よりも子どものほうが言語の習得に長《た》ける要因のひとつに、プルーニングの性質があると科学者たちは考えている。話す言語が異なれば、使用する音のセットも異なる。たとえばギリシャ語やスペイン語には母音が少ないが、デンマーク語には20個、もしくは（数えかたによっては）それ以上ある。乳児の頃に複数の言語で話しかけられると、その人の脳は、それらの言語の音を聞いて識別できるようチューニングやプルーニングを施される可能性が高い。乳児の頃にたったひとつの言語しか聞かされなかった場合には、母語にはない音を聞き分ける能力を改めて習得しなければならないが、それはなかなかむずかしい。

顔の認識においても、類似のプロセスが作用する。乳児の脳は、人間の顔の細かな差異を検知して識別できるようチューニングやプルーニングを受ける。しかしそこにはひとつ問題がある。わたしたちは自分と同じ民族の人々に囲まれて暮らすことが多いため、乳児が見る顔の特徴はたいてい限定される。これは、乳児の脳がそれ以外の顔の特徴を検知できるようにはチューニングされないことを意味する。科学者の見解によれば、自分と異なる民族の顔を覚えたり区別したりするのが難しくなる理由のひとつはそこにある。幸いにも、多様な民族の顔を見る機会が増えれば、脳のチューニング能力はすぐに回復する。それは、外国語の音に対する再チューニングよりはるかにたやすい。

言葉の聞き取りや顔認識の事例は、ただひとつの感覚に焦点が絞られているが、わたしたちは多感覚の世界で生きている。たとえばキスをするとき、あなたは顔の様子、呼吸の音、甘い唇のぬくもりと味と匂い、胸の高鳴りなどが組みあわさった統合的な経験に包まれている。その際、脳はこれらの多様な感覚をまとまった全体へと組み立てているのだ。ちなみにこのプロセスは、「感覚統合」と呼ばれる。

乳児が成長するにつれ、感覚統合それ自体がチューニングやプルーニングを施されていく。新生児は最初、顔によって母親を識別することができない。というのも、顔とは何かということ自体を知らないし、視覚系も十分に発達していないからだ。母親がたてる音なら少しはわかるだろう。母乳の匂いもわかる。新生児を母親の腹部に横たえれば、匂いを追って胸まで這い上がってくるはずだ。新生児はすぐに、動員可能なすべての感覚の特異な組みあわせに基づいて母親を識別できるよう学習する。つまり新生児の小さな脳は、視覚、嗅覚、聴覚、触覚、味覚、そして自己の身体の内部から上がってくる感覚を吸収して、「自分の身体予算を調節してくれる人がそばにいる」

と、その意味を学んでいくのだ。また感覚統合は最初の信頼の感覚を呼び起こし、愛着の神経基盤の一部をなす。

ここまでで紹介したチューニングとプルーニングに関する3つの例は、脳の配線の物理的現実が、〈社会的環境〉〔ここでは社会との接点たる保護者のケアや周囲から聞こえる音など〕によって形成されることを示している。意外にも、保護者は熟練電気技師だったのだ。だが、そこにはリスクもともなう。小さな脳が正常に発達するためには、〈社会的環境〉が必要とされることを意味するからだ。読者はすでに、乳児が網膜に当たる光子などの決まった物理的入力を必要としており、それを欠くと正常な視覚の発達が損なわれることを学んだ。また必要とされるタイミングで、話しかける、歌いかける、抱っこするなどの注意を導く行為、すなわち保護者からの〈社会的な入力〉も必要とすることを見てきた。これらのニーズが満たされなければ、とんでもない事態が起こるかもしれない。

乳児の脳が〈社会的な入力〉をほとんど受け取らなかった場合に何が起こるか。そんなことは実験で確かめるわけにはいかない。いうまでもなく乳児の正常な発達を妨げるような行為は許されない。だが過去には不幸にも、気を滅入らせるような悲惨な歴史的事件があった。

1960年代、ルーマニアの共産党政権は基本的に避妊と中絶を法的に禁じた。〔当時の共産党書記長、国家評議会議長で〕のちに初代大統領になるニコラエ・チャウシェスクは、経済力、ならびにそれを通じて国力を強化するために人口を増やしたかったのだ。この新法は出生率の急激な上昇をもたらし、多くの家族が養えなくなるほどの子どもが誕生した。その結果、数十万人の子どもたちが児童養護施設に送られ、その多くがひどい虐待を受けた。そのなかでも本章にもっとも関連するのは、〈社会的ニーズ〉が満たされなかった子どもたちである。

いくつかの児童養護施設では、乳児は数列に並べられたベビーベッドに、いかなる刺激も〈社会的相互作用〉もないまま寝かされた。看護師や介護士がときおりやってきて、食べ物を与え、おむつを替え、ベッドに戻す——それがすべてだ。抱っこしてもらえることもなく、誰とも遊べない。話しかけても歌いかけてももらえないのだから、〈注意の共有〉などありえない。要するに放置されていたのだ。

ルーマニアの孤児たちは、そのような〈社会的放置〉のせいで知性に障害をきたした。言葉の習得に困難を覚え、集中力がなく、すぐに気が散る子どもに育ったのである。おそらくは〈注意の共有〉を経験できなかったために、彼らの脳は、効率的なスポットライトの構築に必要な配線が育たなかったのだろう。自己をコントロールすることも困難で、心の病や問題行動のほかにも、身体が発育不良の状態にあった。これは、身体予算を支払い可能な状態に保ってくれる保護者がいない状態で育てられたからだと考えられる。つまり、彼らの脳は効率的な身体予算管理を学ぶ機会がまったくなかったのだ。小さな脳は環境にあわせて配線している。しかし、その環境が健全な身体予算管理に不可欠な要素を欠く場合、脳に必須の配線がプルーニングされてしまう可能性がある。

その種の後遺症は、最悪な〈社会的環境〉のもとで育てられた乳児に関して知られている他の事実とも一致する。そのような子どもの脳の大きさは平均より小さい。主要な脳領域が小さく、大脳皮質の重要な領域の神経結合の数も少ない。ただ、彼らが人生の最初の数年間を堅実な里親のもとで育てられれば、問題の一部は改善する場合がある。どんな児童養護施設でも難民キャンプでも移民収容所であっても、思いやりを持って接してくれる保護者がいない施設で育てられる子どもは同様のリスクを免れられない。

ずっと放置されたままの子どもには、いずれ、ほぼ間違いなく悪影響が現れる。その影響は、ルーマニアの孤児のように直接的かつ劇的なものではないかもしれないが、重要な配線が使われずプルーニングされていくにつれ、徐々に微妙に作用しはじめるだろう。水道管からぽたぽたと漏れ続け、やがて床に穴を開けるに至る水滴のごとく、悪影響は時が経つにつれ累積していくのだ。たとえば、劣悪な環境のもとで放置されて育った子どもの小さな脳は、保護者からの支援と、行動を通じて獲得する配線指示がないために、自分の身体予算をひとりで何とか調節しようと自ら配線する可能性がある。このように組み上がったいびつな配線は、時が経つにつれて身体予算に対する有害な負担を蓄積していき、のちになって心臓病、糖尿病、さらにはうつ病をはじめとする気分障害などの、代謝を基盤とする重大な病気を発症する危険性を高める。

ひとつ明確にしておくと、わたしは「小さな子どもをストレスから守らなければならない。さもなければ子どもの脳や身体が壊れる」と主張したいのではない。わたしがいいたいのは、「長期にわたって、一貫して改善することなく子どもを放置していれば、ほぼ間違いなく、小さな脳に悪影響が及ぶ」という点だ。これには明確な科学的証拠がある。食料と水さえ与えておけば乳児の脳が正常に発達するなどと考えてはならない。アイコンタクトや言葉や肌の触れあいを通じて、〈社会的ニーズ〉を満たしてやる必要がある。それが満たされなければ、かなり早い時期に病気の種を蒔《ま》く結果を招く。

また、貧困を強いられた子どもの小さな脳にも同様な結果が見られる。研究によれば、幼少期に長らく貧困にさらされると、脳の発達に悪影響が及ぶ。貧困によってもたらされる栄養不足、近隣の騒音による睡眠の中断、換気や室温の調整不足などの劣悪な環境は、前部大脳皮質、すなわち前頭前皮質の発達を変える可能性がある。前頭前皮質は、注意、言語、身体予算管理をはじめとする一連の必要不可欠な機能に関与している。貧困が脳の発達にいかに影響するのかは現時点では未解明だが、それが学業成績の不振や在学期間の短さにつながることは判明している。このような負担は、本人が成人して自分の子どもを持ったときにも、同様な貧困生活の負担を子どもに課すリスクを高める。この悪循環が、貧困生活を送る人々に対する紋切り型の否定的なまなざしを強化していたとしても不思議ではない。特定の集団が何世代にもわたって貧困を強いられると、社会はすぐにそれを遺伝子のせいにしようとする。だが、彼らの小さな脳が貧困という環境によって形作られているという可能性はある。

逆境や貧困による悪影響に対して、自然な回復力を持つ幸運な子どももいる。しかし一般には、逆境や貧困は小さな脳が奮闘して回復を図らねばならない苦難をもたらす。真に苛立たしいのは、この悲劇が回避可能であることだ（以下しばらく、科学の話から逸れるがご容赦いただきたい）。政治家たちは、子どもたちを貧困から救い出すことを数十年間渋ってきた。だから政治は脇に置いて、この問題を単純な経済的枠組みでとらえてみよう。子どもの貧困は、人的資源の巨大な損失をもたらす。最近の見積もりによれば、子どもの頃に貧困がもたらした結果に数十年後になってから対処するより、貧困そのものを根絶するほうが安くあがる。[4] もっと多くの学区で、児童に給食を無償で提供できるはずだ。市当局は貧民街を対象に騒音条例を制定できる。この手の施策は、生活の質のみに関するものではなく、健全な脳の発達を促す環境を生み出し、すべての子どもが次世代の労働者、市民、革新者《イノベーター》として育つようサポートすることでもある。

　放置や貧困が小さな脳に甚大な影響を与える点に鑑みると、そもそもなぜ進化が人類をかくも不安定な状況に追いやったのかと問い質《ただ》したくなる。乳児の脳が正常な発達を遂げるために〈社会的入力〉や〈物理的入力〉に大きく依存しなければならないというのは、非常にリスクが大きい。ならば、このリスクを相殺するほどの何らかの利点があるはずだ。その利点とはいったい何なのだろうか？

　確証はないが、進化生物学や人類学の知見で得られた証拠に基づけば、次のように推測できる。リスクを抱えるような脳のありかたは、世代間における文化的・社会的な知識の効率的な受け渡しを可能にする。つまり小さな脳のそれぞれが、自分が育つ特定の環境に最適化されることを可能にするのだ。保護者は乳児の物理的ニッチならびに社会的ニッチを監督し、乳児の脳はそれらのニッチについて学ぶ。その乳児が成長すると、今度は自分が享受している文化を、言葉や行動を介して次世代に受け渡し、彼らの脳を配線することで、このニッチを恒久化する。文化の継承と呼ばれるこのプロセスは、質素かつ効率的である。というのも、進化はすべての配線指示を遺伝子にコードする必要がなく、その仕事の多くは、他の人間を含めた環境に委《ゆだ》ねられるからだ。良くも悪くもわれわれは、文化に関する知識を知らず知らずのうちに子どもの脳に配線しているのである。

　脳に関していえば、生まれか育ちかという単純な区別は、いかに魅力的であれ現実を反映していない。生まれは育ちを必要とする。つまり遺伝子は、脳を完成させるために〈物理的環境〉と〈社会的環境〉を必要とする。いい換えれば、目をあわせて話したり、適切な睡眠時間や体温の調節方法を教えてくれたりするような、大勢の他者がいるニッチを必要とするのだ。

　子どもの育てかたが重要なのは誰でも知っているが、それが重要である理由は最近数十年でわかってきたことにすぎない。たとえば朝の4時に起きて泣き叫ぶ小さな天使をなだめようとしているとき、あなたは気づいていようがいまいが、その乳児の脳のチューニングやプルーニングを手伝っているのだ。小さな脳は身の回りの世界にあわせて配線される。小さな脳が健やかに育つためには、健全な配線を供給できる豊かな社会が必要だ。そんな社会を実現できるかどうかは、わたしたち自身にかかっている。

Lesson 4

脳は（ほぼ）すべての行動を予測する

数年前、ある男性からEメールが届いた。差出人は、アパルトヘイトが終わる前の1970年代にアフリカ南部のローデシアで兵役に服していた人物だった[1]。無理やり徴兵され、軍服とライフルを渡され、ゲリラ狩りに行けと命令されたという。さらにまずいことに、彼は徴兵される前まで、今や敵となってしまったゲリラの支持者だったのだ。

ある朝彼は、小部隊の仲間とともに、深い森のなかでの実戦を想定した演習に参加していた。そのとき、前方で何かが動くのを見た。彼は、心臓の高鳴りを感じつつ、迷彩服を着てライフルを抱えたゲリラ兵の隊列が続いているのを目にした。本能的に彼は銃を構え、安全装置をはずし、銃身越しに覗き込み、AK－47アサルトライフルを持ったリーダーに狙いを定めた。

すると突然、彼は肩に手が触れるのを感じ、「撃つな、子どもだ！」という仲間のささやきを耳にした。その声を聞いた彼はゆっくりと銃を下ろし、前方をもう一度よく見ると、その光景に驚かされた。10歳くらいの少年が、ウシの列を先導していたのである。では、ＡＫ－47と見間違えたものは何だったのか？　それは単なる牧童の杖にすぎなかったのだ。

その後彼は、この不安を喚起するできごとを理解するべく自問していたそうだ。眼前で繰り広げられた光景を見間違えてあやうく子どもを殺すところだったが、いったい何が起こったのか？　脳に何か問題でもあったのか？

実のところ、彼の脳には何も問題はなく、まったく正常に機能していた。

科学者たちはかつて、脳の視覚系がカメラのように作動すると、すなわち「外界」の視覚情報を取り込んで心のなかに写真のようなイメージを組み立てると考えていた。今日のわれわれは、もうちょっとまともなことを知っている。われわれが見ている世界は写真とは何の関係もなく、非常に流動的で真に迫るがゆえに外界の正確な写しのように見える、脳の構築物なのである。だがそれは、必ずしも正確な写しではない。

杖を持った牧童を、ライフルを持った成人のゲリラ兵として見ることがまったく正常である理由を理解するために、脳の観点からその状況をとらえてみよう。

産声をあげてから息を引き取るまで、われわれの脳は頭蓋と呼ばれる暗くて静かな箱に収まっている。そして脳は毎日、目、耳、鼻などの感覚器官を介して外界から感覚データを受け取り続けている。これらのデータは、わたしたちのほとんどが経験している視覚、聴覚、嗅覚などの意味ある感覚の形態で届くのではなく、間断なく浴びせられる固有の意味を持たない光波、化学物質、気圧の変化などに基づくものにすぎない。

感覚データのあいまいな断片に直面した脳は、次に何をすべきかをどうにかして決めなければならない。[2] ここで、脳の最重要の任務が、健康を維持するべく身体をコントロールすることだと思い出そう。したがって脳は、たとえば階段から転げ落ちないよう、あるいは野獣の餌食にならないよう、次々に到来する感覚データから意味を引き出す必要がある。

では、脳はどのように感覚データを解読して、次になすべきことを決めているのだろうか？　脳が直近のあいまいな情報だけに頼っていれば、わたしたちは不確実なものに満ちた大洋のなかで、最善の手段が見つかるまでもがきながら、あてもなく漂っていなければならない。しかし幸いにも、脳は自由に利用できる別の情報源を持っている。そう、記憶だ。脳は、これまで蓄積してきた過去の経験、すなわち自分がじかに経験してきたことや、友人、教師、本、動画などの情報源から学んできたことを参照できる。脳は一瞬のうちに、絶えず変化する複雑なネットワークの内部でニューロンが電気的情報をやりとりすることで過去の経験の断片を再構築し、感覚データの意味を推定して処理方法を決定するために、それらの断片を記憶へと結びつけるのだ。[3]

過去の経験には、周囲で起こったできごとのみならず、身体の内部で生じたことも含まれる。そのとき心臓は早鐘を打っていただろうか？　息苦しかったか？　脳はこのようにして、「同様な状況に遭遇し、身体が類似の状態に置かれたとき、わたしは次に何をしただろうか？」と一瞬々々自問しているのである。それに対する答えは、現状に完全に適合している必要はなく、生き残って繁栄するのに役立つ行動計画を脳に示せる程度に類似していればよい。

かくして脳は、身体の次の行動を計画している。では脳は、いかにして外界の生データの断片から、森に潜むゲリラ兵などといった高精度の経験を引き出し、心臓の高鳴りから恐怖の感覚を生んでいるのか？　ここでも脳は、次のように自問することで記憶から過去を再構築している。「同様な状況に直面し、身体が類似の状態に置かれ、特定の行動を起こそうとしていたとき、次に何を目にし、感じたか？」――この問いに対する答えが経験になる。いい換えると、脳は頭の外部と内部から情報を得て組みあわせ、見るもの、聞くもの、かぐもの、味わうもの、感じるものを生んでいるのだ。

ここで、記憶があなたの見ているものの重要な構成要素であることを示す簡単な例を紹介しておく。左の3つの線画を眺めてみよう。

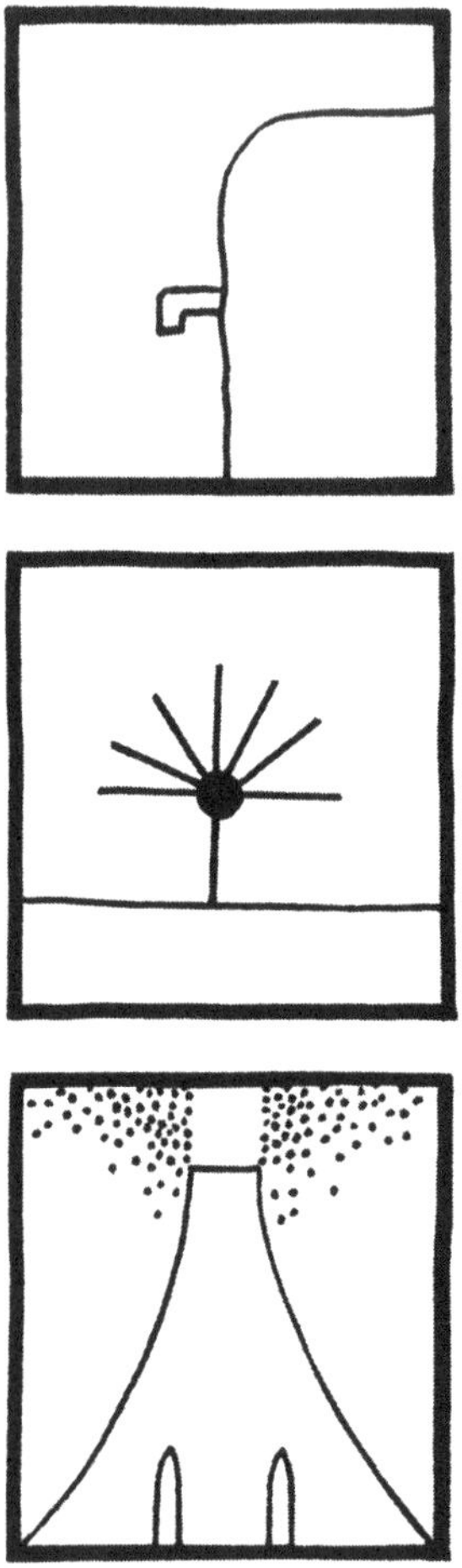

これは何だろうか？

今あなたの頭のなかでは、知らず知らずのうちに数十億のニューロンが、図に描かれている線やかたまりに意味を与えようと試みている。脳はこれまでの過去の経験を検索して、一度にたくさんの〈予測〉を発し、さまざまな可能性を比較しつつ「これらの波長の光は何である可能性がもっとも高いか？」という問いに答えようとする。

そしてそれは、一瞬のうちに生じる。

では、あなたはこの図に何を見るだろうか。いくつかの黒い線とかたまり？　脳にさらなる情報を与えたら何が起こるか？　ここで巻末の補足説明（183ページ）を読み、もう一度線画を眺めてみよう。[4]

今やあなたは、いくつかの線とかたまりではなく、馴染みの物体を見ているはずだ。あなたの脳は、過去の経験の断片から記憶を組み立て、生の視覚データを超えて意味を生成したのである。そしてその過程で脳がニューロンの発火の様態を変えたので、それまでは見えていなかった物体が紙面から飛び出してきたのだ。変わったのは線やかたまりではなく、あなたである。

芸術作品、とりわけ抽象芸術は、人間の脳が経験を構築しているがゆえに成立しうる。ピカソの手になる立体派《キュビズム》の絵画を見てそこに人間の形状を見出せるのは、あなたの脳が、抽象的な要素の理解を可能にしてくれる、人間の形状に関する記憶を持っているからにすぎない。美術家のマルセル・デュシャンはかつて、「芸術作品の創造において、アーティストは50パーセントしか役割を果たしていない」と述べた。残りの50パーセントは鑑賞者の脳が果たすという意味だ（後者を「鑑賞者の共有《シェア》」と呼ぶアーティストや哲学者もいる）。[5]

脳は積極的に経験を構築している。わたしたちは毎朝目が覚めると、さまざまな感覚を介して周囲の世界を経験する。皮膚にあたるシーツの感触、目覚まし時計の音、鳥の鳴き声、パートナーのいびきなど、自分を目覚めさせた音を聞く。コーヒーの匂いが漂ってくるかもしれない。これらのような感覚は、あたかも目、鼻、口、耳、皮膚が外界に臨む透明な窓であるかのごとく、頭のなかに直接流れ込んできたように感じられる。しかしわたしたちは感覚器官で感じるのではない。脳で感じているのだ。

われわれが見たり聞いたりしているものは、外界に存在するものと、脳によって構築されたものの組みあわせである。同じことは他の感覚にも当てはまる。

それとほぼ同じように、脳は体内の感覚を構築している。痛みやいらいらのような体内の感覚は、脳で起こっていることと、肺、心臓、胃腸、筋肉などで実際に起こっていることの組みあわせだ。脳はまた、過去の経験に基づく情報をそれらの感覚につけ加えて、意味を推定する。たとえば寝不足による疲労や体力の消耗を覚えると、実際にはただ疲れているだけなのに、（以前に同じような状況でどう感じたかを思い出して）空腹を感じ、何かを食べれば体力を回復できると思うかもしれない。このように構築された空腹の経験は、誰もが望まない肥満の一因となっている。

さてこれで、本章の冒頭で取り上げた兵士が、ウシを引き連れた牧童にゲリラ兵を見た理由を解明できる。兵士の脳は次のように自問していたのだ。「この戦争に関する自分の知識に基づけば、また、仲間たちと一緒に森の奥深くにいて、銃を持ち、心臓が高鳴り、前方を何かとがったものが動くのが見えた今、次に何を目にするか?」と。そしてその答えが「ゲリラ兵」だった。そのような状況のもとで、兵士の頭の外部にあるものと内部にあるものが一致せず、後者が優先されたのである。

たいていの状況のもとでウシを目にすれば、わたしたちはそこにウシを見る。しかし誰もがこの兵士のように、外界から到来したデータより自分の頭のなかの情報のほうが優先される経験をしたことがあるはずだ。人混みのなかに友人の顔を見かけたが、あらためて見直したら別人だったという経験はないだろうか? 携帯電話が振動したように感じたが、実は違っていたことは? 頭のなかで響く曲が止めようにも止まらなくなったことはどうか? 神経科学者たちはよく、「日常の経験は、外界と身体に制約されながら、最終的には脳によって構築された、注意深くコントロールされた幻覚である」などという。それは精神科の受診を要するような幻覚ではなく、自己の経験を生み出して行動を導いてくれる日常的な幻覚であり、脳が感覚データに意味を付与するための正常な手段なのである。[6] そしてわれわれは、それが起こっていることにほとんど気づいていない。

確かにこの見解は常識に反する。だが、まだ続きがある。この構築プロセスは、〈予測〉に基づいて実行される。今や科学者たちは、光波や化学物質などの感覚データが届く前に、脳が周囲の世界における一瞬々々の変化を実際に感じはじめているということを確信している。そして同じことは、体内の変化にも当てはまる。各器官や、ホルモン系などの身体システムからデータが届く前に、脳は変化を感じはじめるのだ。自分自身ではそうは感じないだろうが、脳はこのようにして世界を探索し、身体をコントロールしている。

ではここで、わたしの話を鵜呑みにする前に、のどが渇いて水を1杯飲んだときのことを思い出してみよう。最後の1滴を飲み干してから数秒以内に、あなたはいくぶん渇きが癒されるのを感じたはずだ。いかにもありふれたできごとに思えるかもしれない。だが、実は水分が血流に入るまでにはおよそ20分かかる。つまり1杯の水が数秒以内にのどの渇きを癒せるはずはないのだ。では、何がのどの渇きを癒したのか？それは〈予測〉である。脳は、水を1杯飲み干すという行動を計画して実行すると同時に、その行為によってもたらされる感覚的な結果を予期する。それによって、水分が血流に直接的な影響を及ぼすはるか以前に、あなたはのどの渇きが癒されるように感じるのだ。

〈予測〉は、光の流れを目に見える物体に、気圧の変化を聞き覚えのある音に、化学物質の痕跡をにおいや味に変える。また、このページに印刷されたインクのしみを、文字や語句や概念として読んで、理解できるようにしてくれる。さらにいえば、結論を書かずに終わる文章に違和感を覚えるのも〈予測〉のせいである。

脳が〈予測〉する器官であることを示すヒントは、1世紀以上前から科学者たちに知られていた。ただしそのヒントを解読できたのは最近になってからにすぎない。音を聞いただけで唾液を分泌させるよう飼いイヌを学習させたことで知られる、19世紀の生理学者イワン・パブロフの名は誰もが知っているはずだ（その音とは一般にベルの音とされているが、実際にはカチカチとリズムを刻むメトロノームの音であった）。パブロフは、イヌが今まさにエサを食べようとするたびにその音を鳴らした。するとイヌは、やがてエサを与えられなくてもその音を聞くだけで唾液を分泌するようになったのだ。彼はこの発見でノーベル賞を受賞した。この効果は、パブロフの条件づけ、もしくは古典的条件づけと呼ばれているが、彼は脳の〈予測〉を発見したとは思っていなかった。イヌは、唾液を分泌することで音に反応したのではない。イヌの脳が、エサを食べる経験を〈予測〉し、食べるに先立って身体の準備を整えたのである。

似たような実験は、あなたもすぐに試すことができる。では、好きな食べ物を思い浮かべてみよう（わたしなら、シーソルトをまぶしたひと切れのダークチョコレートを思い浮かべる）。そしてその匂い、味、舌触りを感じてみる。唾液が分泌しただろうか？　これを書いているわたしは今にもよだれが垂れそうだが、その状況を引き起こすためにメトロノームなど必要ない。たった今わたしの脳をスキャンすれば、味覚や嗅覚に重要な役割を果たす脳領域や、唾液の分泌をコントロールする脳領域の活動が増大していることがわかるだろう。

この実験をして自分の好きな食べ物の味や匂いを感じ、唾液の分泌が促されたのであれば、あなたは、脳の自動的な〈予測〉が発するものとまったく同等の、ニューロンの発火の変化を引き起こすことに成功したのだ。このプロセスは、本章で取り上げた3つの線画を見たときに起こった現象に似ている。いずれの事例でも、巧妙に考案された課題を用いることで、脳がごく自然に無意識裏に実行している機能が明らかになったのである。

実のところ、〈予測〉とは、脳が予期した内容自体と会話を交わすことを意味する。それは次のような具合に行なわれる。まず一群のニューロンが、脳がたった今喚起した過去や現在のできごとの組みあわせに基づいて、今すぐに起こるであろうできごとについて最善の推測をする。次に推測したニューロン群は、そこで得た推測内容を他の脳領域に伝達して、そこにあるニューロンの発火を変える。その間、外界と自己の身体からやって来た感覚データがこの会話に割って入り、〈予測〉が確認もしくは否定されることで、それが現実として経験される。

　実際には、脳の〈予測〉のプロセスは、それほど順序よく実行されるわけではない。脳は通常、目下の状況に対応するためにいくつかの手段を用いることができる。立て続けに〈予測〉を発しては、各〈予測〉に対してそれが実現する確率を見積もる。森の奥から聞こえてくるあのざわめきは、風、動物、ゲリラ兵、牛飼いのどれか？　あの褐色の長い物体は木の枝か、杖か、あるいはライフルか？　それぞれの瞬間において、最終的にあるひとつの〈予測〉が勝者になる。たいていは入ってくる感覚データともっともうまく整合する〈予測〉が勝者になるが、つねにではない。いずれにせよ、勝利した〈予測〉が行動や感覚経験になるのだ。

　このように脳は〈予測〉を発し、外界と身体から入ってくる感覚データと比べることでチェックしている。次に起こることは、わたしのような神経科学者でも驚きを禁じ得ない。脳が的確な〈予測〉を発すれば、ニューロンは入ってくる感覚データと整合するパターンですでに発火していることになる。その場合、入ってきた感覚データは脳の〈予測〉を確認する以上の役には立たない。要するに、その瞬間における視覚、聴覚、嗅覚、味覚や体内の感覚は、頭蓋の内部で完全に組み立てられるのだ。こうして脳は、〈予測〉によって次の行動の準備を効率よく整えているのである。

具体例を用いて説明しよう。本章の冒頭で取り上げた兵士が「ゲリラ兵の隊列が迫っている」と〈予測〉したとき、ゲリラ兵が実際にそこにいたとする。彼の脳の観点からいえば、現実に存在するゲリラ兵は〈予測〉を裏付ける。というのも彼の脳は、ゲリラ兵の姿や彼らが立てる音をすでに構築しており、それに従って身体予算を調節し、しかるべき行動をとれるよう体勢を整えているからだ。このケースでは、〈予測〉は銃を構えて撃つ準備を彼にさせる。

しかし実際には、この兵士の脳は間違った〈予測〉を発していた。放牧用の杖を手にして一群のウシを引き連れた少年を見て、銃を持ったゲリラ兵の一団がいると〈予測〉したのだから。その状況のもとでは、兵士の脳にはふたつの選択肢があった。ひとつは外界から到来した感覚データを取り入れて〈予測〉を更新し、少年とウシをめぐる新たな経験を構築することだ。この更新された〈予測〉は彼の脳に種を蒔き、次回は改善された〈予測〉が発せられるだろう。科学者はこの選択肢を「学習」と呼ぶ。

だが、兵士の脳は別の選択肢を採った。外界から到来した感覚データを取り入れずに、もとの〈予測〉に執着したのだ。それはさまざまな理由で起こりうる。そのひとつは、彼の脳が自分の命がかかっていると〈予測〉した場合である。脳は、正確さのためではなく、生き残れるよう配線されているのだ。

脳は正しい〈予測〉をしたとき、自分にとっての現実を生み出す。しかし、間違った〈予測〉をした場合でもそれは変わらない。その場合、間違いから学習することを願うばかりだ。仲間の兵士が彼の肩を叩いて、もう一度周囲を見て脳が新しい〈予測〉を発するよう促してくれたことは幸いだった。

さて次に、常識にとどめを刺す説明に移ろう。〈予測〉は、実際の経験とは逆向きに生じるのだ。あなたもわたしも、まず感じてから行動すると考えている。敵を見てライフルを構える。そう考えるのである。しかし脳内では、実のところ感覚は行動のあとで生じる。たとえば引き金にかけるべく人差し指を動かし、その動作を支援するために身体予算の割り当てを変更するなどという具合に、脳はまず行動の準備を整えるよう、また、それらの〈予測〉を感覚系に送るよう配線されている。すると感覚系は、指先にあたる金属製の引き金の冷たさや、心臓の高鳴りを〈予測〉する。だからくだんの兵士の脳は、葉音を聞いて銃を取り、実際には存在しない敵を見るよう誘導したのである。

そう、脳は自分が気づく前に行動を開始するよう配線されている。これはある意味で大ごとだ。つまるところ日常生活では、自らの行動を選択しているのではないのか？　少なくともそう思える。たとえばあなたは、本書を開いてこのページを読む選択をしたはずだ。だが脳は〈予測〉する器官であり、過去の経験と現在の状況に基づいて、気づかぬうちに次の一連の行動を開始する。いい換えると、行動は記憶と環境のコントロールのもとでなされる。ならばそれは、自由意志の不在を意味するのか？自分の行動の責任は誰が負うのか？

自由意志の存在については、哲学者や思想家たちが哲学の誕生以来ずっと議論を重ねてきた。ここでその議論に決着をつけるつもりはないが、しばしば見落とされているパズルのピースに光を当ててみよう。

無意識につめを噛《か》むなど、身体が自動操縦モードに入ったときのことについて考えてみよう。脳と口の結合が滑らかすぎて、いわずもがなのことを友人につぶやいてしまったことはないだろうか。映画を夢中で観ていて、ふと手元を見ると、ジャンボサイズのポップコーンを平らげていたことはないだろうか。そのような瞬間においては、脳は〈予測〉能力を動員して行動を開始するが、その際わたしたちは、行為主体としての感覚を持っていない。そんなとき、コントロールしようとする意志を一瞬のうちに行使して、自分の行動を変えられるだろうか？　可能だったとしても簡単ではないはずだ。では、わたしたちはその行動の責任を負っているのか？　その答えは、「わたしたちが考えているより責任の度合いは大きい」というものだ。

行動を始動させる〈予測〉は、何もないところから生じるのではない。子どもの頃につめを噛むくせがなければ、大人になってもつめを噛んだりはしないだろう。友人に対していうべきではないことをいってしまったとしても、そもそもその言葉を知らなければ口に出すことはなかった。リコリス〔欧米でポピュラーな菓子〕をおいしいと思ったことがなければ……、もうおわかりだろう。脳は過去の経験を用いて〈予測〉し、次の行動の準備を整える。タイムトラベルして魔法のように自分の過去を変えられたら、脳は今とは異なる〈予測〉をして別の行動をとり、その結果違った世界を経験するはずだ。

自分の過去はもはや変えられないが、今すぐにでも多少努力すれば、脳が未来を〈予測〉するありかたを変えることならできる。たとえば、少しばかり時間と労力を費やして新たなアイデアを学ぶのもよい。新たな経験をしたり、未知の活動に挑戦したりするのもよい。今日学んだことのすべてが種を蒔き、明日の脳の〈予測〉のしかたを変えるのだ。

一例をあげよう。試験の直前には誰でも神経質になるものだが、なかには試験の結果を左右するほど不安が高じる人がいる。過去に試験を受けたときの経験に基づいて脳が〈予測〉を発し、心臓は高鳴り、手は汗ばみ、結果としてまったく試験に集中できなくなる。こんなことが続けば単位は取れず、下手をすれば退学だ。だがここで考えるべきは、心臓の高まりが必ずしも不安の表れなのではないことである。研究によれば、学生は身体が受け取る感覚を、不安ではなく、固い決意を鼓舞するものとしても学習できるので、そうなれば試験でも実力を発揮できるはずだ。〈鼓舞された固い決意〉という種が脳に蒔かれれば、脳は以前とは異なる〈予測〉を発するようになり、不安も解消できる。この方法をうまく習得できれば、試験に通って単位を取得し、晴れて卒業の日を迎えられるだろう。これは将来の自分の稼ぎを大きく左右する、有用な知恵だ。

さらには脳の〈予測〉を変えることで、他者に対する共感を育み、態度を改めることも可能である。「平和の種（Seeds of Peace）」と呼ばれる組織は、パレスチナ人とイスラエル人、あるいはインド人とパキスタン人など、深刻な対立関係にある国（文化）出身の10代の若者たちを一堂に集めることで、彼らの脳が発する〈予測〉の変更を促進している。彼らは、サッカー、カヌー、リーダーシップ研修などの活動に参加し、協力的な環境のもとで敵対意識について論じあう。このように新たな経験を生み出すことで、彼らはやがて文化間の相違を克服し、最終的には平和な世界の実現に向けて、未来に関する脳の〈予測〉を変えられるのだ。

規模は小さいかもしれないが、あなたにもそれと同じことができる。今日わたしたちの多くは、対立陣営同士がまともな議論すらできないほど極度に分断された世界で生きていると感じている。そのような状況を変えたい人に向けて、ここで課題をひとつ出そう。自分が特定の見解に肩入れしている政治的論点を取り上げてみてほしい。アメリカであれば、妊娠中絶、銃規制、宗教、警察、気候変動、奴隷制に対する賠償、もしくは自分にとって重要な地元コミュニティの問題などだ。そして毎日5分間、自分の考えとは異なる観点からその問題を検討してみる。その際、頭のなかで議論するだけでなく、自分と同じくらい賢い人が、なぜ自分とは異なる見解を持つに至ったのかを考えてみよう。

わたしは何も、「自分の考えを変えろ」とか「この課題はやさしい」といいたいのではない。課題の遂行には身体予算からの引き出しが必要なのだから、まったく不快に感じたり、無意味に思えたりするかもしれない。だが他者の観点からものごとをとらえようと真剣に取り組めば、今後、自分とは異なる見解を持つ人々をめぐって発せられる脳の〈予測〉を変えることができる。「わたしは彼らに同意はできないけど、彼らが何を考えてそのような行動を取るのかなら理解できる」と本心でいえるようになれば、分断のない世界に向けての第一歩を踏み出せるだろう。これはリベラルの学者が吹聴する浮世離れした戯言《ざれごと》ではなく、〈予測〉する脳に関する基礎科学から導き出された戦略である。

車の運転にせよ、靴のひもの結びかたにせよ、何らかのスキルを習得したことがある人なら、たった今努力が必要な仕事が、しっかり訓練すればいずれ自動操縦モードで遂行できるようになることを知っている。その理由は、それまでとは違った〈予測〉を発して新たな行動を起こせるよう脳がチューニングやプルーニングを施され、その結果として、自己と周囲の世界が異なった様態で経験されるようになるからだ。これは自由意志の一形態、もしくは少なくともそう呼んでもおかしくはない何かだといえる。要するにわれわれは、自分の身を何にさらすかを選択できるのである。

端的にいえば、今すぐに自分の行動を変えるのはむずかしいが、その瞬間が来る前に、脳の〈予測〉を変えることなら可能だ。練習や訓練を積めば、一定の行為を自動操縦モードで実行し、ひいては将来の行動や経験を自分が考えている以上にコントロールできるようになる。

わたし自身では、この知見が希望に満ちたものだと思っている。ただし、予想されるように行動や経験のコントロールには但し書きがつく。というのは、より多くをコントロールできるようになればなるほど、それだけ責任の範囲も広がるからだ。脳が外界に反応するだけでなく、積極的に外界を予測し、脳自体を配線しさえするのであれば、あなたが悪事を働いたときにその責任は誰にあるのか[7]？　もちろんあなただ。

「責任」とわたしが述べたとき、日常生活のなかで起こった悲劇や、そのせいで経験した辛苦に対して本人が責任を負っているという意味でいったのではない。われわれは、現に自分がさらされている状況のすべてを自分で選択したのではない。また、うつ病、不安障害などの重い精神疾患によって受けている苦難の責任が本人にあると主張しているのでもない。わたしがいいたいのは、「ものごとに対する責任は、本人の欠陥に由来するのではなく、それを変えられるのは自分しかいないために生じる」ということだ。

子どもの頃は、保護者が脳を配線する環境、すなわち生態的地位《ニッチ》を作り出して、世話をしてくれる。乳児は自分でそれを選ぶことができない。だから、乳幼児期の脳の配線に関しては自分に責任はない。服装が似ている、特定の信念を共有している、同じ宗教を信仰している、皮膚の色や体形が似ているなど、似通った人々に囲まれて成長すると、脳はその種の類似性に基づいてチューニングやプルーニングを施され、それに基づいて人間の評価に関する〈予測〉を発するようになる。つまり脳の成長のレールが敷かれる。

しかし成長するにつれ、事態は変わっていく。われわれは、ありとあらゆるタイプの人々とつきあうようになり、子どもの頃に身につけた信念に疑問を抱くようにもなる。また、自分のニッチを変えられるようになる。今日の行動は明日の脳の〈予測〉になり、その〈予測〉が自動的に未来の行動を駆り立てる。したがってわれわれは、自分の脳の〈予測〉を新たな方向へと調節する自由を持ち、ゆえに自分がとった行動の結果に対してある程度の責任を負わなければならない。〈予測〉の調節に関して誰もが広範な選択肢を持つわけではないとしても、ある程度の選択肢は持っている。

〈予測〉する脳の持ち主として、わたしたちは自分が考えている以上に自己の行動や経験をコントロールできる。だから、自分が望む以上の責任を負わねばならない。だが、それを全うすることで生じる可能性について考えてみよう。自分の生活はどうなるのか？　自分はどのような人間になるのだろうか？

Lesson **5**

あなたの脳はひそかに他人の脳と協調する

人間は社会的動物である。集団で生活し、助けあい、文明を築く。人間の持つ協力しあう能力は、適応的な優位性を大いにもたらす。人間が地球上のほぼすべての地域に住みつき、おそらくは細菌を除いた他のどんな生物にもまして、多様な気候のもとで生き残って繁栄することを可能にした。

社会的動物であることの要件のひとつとして、わたしたちが毎日利用している身体的な資源を脳が管理する方法、つまり周囲の人々と身体予算を相互に調節する点がある。乳児の脳は外界にあわせて配線されていくので、子どもが身体予算の管理を効率的に実行できるよう育つために、保護者がどのように導いているかについては前章で見た（ルーマニアの孤児たちのケースでは、保護者不在で育てられたことで効率の悪い身体予算の管理がもたらされた）。そのような身体予算の相互調節や脳の再配線は、小さな脳が成長を遂げてからも長く続く。わたしたちは生涯を通じて、他者の身体予算口座に対するある種の預金や引き出しを、それと知らずに行なっている。そして他者も、あなたの身体予算口座に対して同じことをする。意識の埒外で常時実行されているこの操作は、われわれの日常生活に長所と短所の両面の影響を及ぼすのだ。

では、あなたの周囲にいる人たちは、あなたの身体予算にどう影響を及ぼし、いかに脳を再配線するのだろうか？ ここで、脳は新たな経験をすると、可塑性と呼ばれるプロセスによって配線を変えることを思い出そう。ニューロンのミクロの部位が、チューニングやプルーニングによって毎日徐々に変化していくのだ。樹状突起の密度は濃くなり、関連する神経結合はより効率よくつながっていく。このモデルチェンジには身体予算を消費するので、〈予測〉する脳はそのために相当な支払いを覚悟しなければならない。というのも、周囲の人々と接するたびに神経結合が頻繁に利用されるからだ。他者と接しているうちに、脳が少しずつチューニングされ、プルーニングされていくのである。

周囲の人々にどの程度注意を向けるかは人それぞれだが、世捨て人のような生活を送る人はほとんどいない（サイコパスでさえ、非常に残念なありかたで他者に依存している）。家族、友人、隣人、そして見知らぬ人々でさえ、最終的にはあなたの脳の構造や機能に影響を及ぼしており、脳が健全な身体を維持するための支援をしているのだ。

この相互調節には、明らかな効果がある。あなたの身体の変化は、周囲の人々の身体の変化を促す。それは相手が恋人だろうが友人だろうが、初対面であろうが同じことだ。親しい人のそばにいると、世間話をしていようが、白熱した議論を戦わせていようが、ふたりの呼吸や心拍は同期しやすい。その種の身体的な結びつきは、乳児と保護者、セラピストとクライアント、ヨガクラスの参加者同士、教会で賛美歌を詠唱する信者たちのあいだなどで生じる。ダンスをしているときには、パートナー同士が、脳に演出されて知らず知らずのうちに相手の動作を模倣していることが多い。一方がリードし他方がそれに従うが、ふたりの役割は随時交代する。それに対して、お互いを嫌ったり信用していなかったりすると、ふたりの脳は相手のつま先を踏みつけあうダンスパートナーのごとく振る舞うだろう。

またわたしたちは、行動を通じて他者と相互に身体予算を調節する。声を荒らげることで、あるいは眉をひそめることでさえ、心拍や血中における化学物質の濃度など、他者の体内で生じている作用に影響を与える。たとえばあなたが、痛みに苦しむ恋人の手をとってあげれば、その苦しみは和らぐのだ。

われわれホモ・サピエンスは、社会的動物であることによってさまざまな種類の恩恵を受けている。ひとつは、他者と緊密な協力関係を結ぶことで、寿命を伸ばしたことだ。愛情に満ちた関係がわたしたちにとってよいものであることは、わざわざ指摘するまでもない。しかし、その恩恵は常識が示す範囲を超えるものであることが、さまざまな研究で示されている。あなたとパートナーの関係が、親密で思いやりにあふれていたり、お互いに相手の求めているものを満たしていたり、共同生活が円滑で楽しかったりするのであれば、ふたりとも健康に過ごせるだろう。がんや心臓病などの重病にすでにかかっていても、回復の可能性が高まる。これらの研究は夫婦を対象に行なわれたものだが、親友同士やペットの飼い主にも同じことが当てはまるらしい。

社会的動物であることのさらなる利点として、同僚や信頼する上司と協力しあえば仕事の効率を改善できることがあげられる。そのような信頼関係の促進を仕組みとして導入し、業績を伸ばそうと試みる経営者もいる。たとえば社員に無償で食事を出すことによって、舌鼓を打ちながら自由にアイデアを出す機会を作っている企業や、個人の仕事机とは離れた場所で協業を生み出せるよう、共用のワーキングスペースを設置している企業がある。お互いへの信頼に価値を置く環境で働く人々は身体予算への負荷が軽くなるので、その分節約できた資源を、斬新なアイデアを生み出す力に振り向けられるのだ。

社会的動物であることは、概ねわたしたちに優位性を与えてくれるものの、不利な側面もないわけではない。たとえばデータに基づいていえば、親密な関係に恵まれた人は長く健康な生涯を送る一方、孤独な日々を送る人は病気にかかりやすく寿命が短い。身体予算の調節を支援してくれる人が周囲にいないと、余分な負荷を背負い込むことになるからだ。離別や死別などで身近な人を失ったときに、自分の一部を失ったように感じたことはないだろうか？　そう感じたとしたら、その原因は身体システムのバランスを保ってくれていた資源が失われ、実際に自分の一部を失ったことにある。詩人のアルフレッド・テニスン卿は、「誰かを愛してその人を失うことは、誰も愛さないことよりよい」と述べた。離別は死の苦しみのように感じられるかもしれないが、神経科学の観点からも、恒常的な孤独は死期を早める傾向にある。だから独房への拘禁〈孤独の強要〉は、スローモーションで執行される死刑のようなものだといわれるのだ。

身体予算を共有することの意外な不利益は、それが共感に影響を及ぼすことにある。誰かに共感を覚えたとき、脳はその人がどう考えるか、感じるか、何をするかを〈予測〉する。相手のことがよくわかるようになればなるほど、脳はそれだけ効率的に相手の心の葛藤を〈予測〉できるようになる。すると、そのプロセス全体が、あたかも相手の心を読むかのように、明白で自然なものに感じられるようになる。しかし、そこには問題もある。相手のことがよくわかっていなければ、その人に共感するのはむずかしい。だから身体予算から多めに資源を引き出して、不快を感じつつも余分な努力をすることによって、その人についてもっと多くのことを知らなければならない。これは、自分とは違って見える人々や、自分の考えとは異なる信念を持つ人々に共感することがむずかしく、あえてそうしようとすれば不快になる理由のひとつでもある。予測困難なものごとに脳が対処する際には、代謝の面でコストがかかる。人々が、いわゆるエコーチェンバー〔おもにSNSにおいて価値観のあう者同士だけで共感しあい、特定の意見や思想が増幅していく現象〕を築いて自分の信念を補強するニュースや見かたにどっぷりと浸かろうとするのも無理はない。そうすることで代謝コストを低下させ、新しい知識を学ぶ際にともなう苦痛を緩和できるからだ。しかし残念ながら、同時に自分の考えを改めるきっかけとなる情報に接する機会も減ってしまう。

人間以外にも多くの動物が、身体予算を相互に調節している。アリやミツバチなどの昆虫は、フェロモンのような化学物質を用いてそれを行なう。またラットやマウスなどの哺乳類は、化学物質による嗅覚、ならびに音声と触覚を用いて連絡を取る。さらにはチンパンジーをはじめとする霊長類は、視覚を用いて神経系を相互に調節する。だが人間は、言葉を用いて他者と身体予算を調節しあうという点において、動物界で特異な地位を占める。多忙な一日を終えたあなたに友人から労《ねぎら》いのメッセージが届いたら、気分が和らぐ。いじめっ子の憎々しい言葉は脳に脅威を〈予測〉させ、血流をホルモンで満たすので、いじめられた側の身体予算から貴重な資源が大量に流出してしまう。

身体に対する言葉の力は、遠く離れた場所でも作用する。たった今わたしは、アメリカからベルギーに住む親友に向けてEメールで「あなたが大好きよ」とメッセージを送ることができる。そうすれば、彼女がわたしの声を聞いたり顔を見たりしなくても、メールの文面が彼女の心拍、呼吸、代謝などに影響を与えるはずだ。あるいは見知らぬ誰かが「ドアの鍵はかけたか？」と意味深な文面のEメールを送ってくれば、神経系が悪影響を受けたあなたは不安になるだろう。

神経系は距離のみならず、時代を超えても影響を受ける。『聖書』や『コーラン』のような古《いにしえ》のテキストに慰めを見出すとき、古の時代に生きていた人々から身体予算管理の支援を受けているのだ。本や動画やポッドキャストは、ほのぼのとした気分をもたらしたり、寒気を催させたりする。その種の効果は長くは続かないかもしれないが、研究によれば、わたしたちの誰もが言葉のやり取りだけで、思いもよらないほど身体的なありかたで、お互いの神経系を迅速に調節することができる。

わたしの研究室では、脳に影響を与える言葉の力を実証する実験を行なっている。[1]

この実験では被験者を脳スキャナーに寝かせて、以下のような、さまざまな状況を描いた短い文を聞かせている。

> あなたは、一晩中飲み歩いたあと車を運転して家に帰るところだ。前方に伸びる道路は無限に続くかのように感じられる。眠くなって一瞬目を閉じたときに、車がスリップしはじめる。激しい揺れを感じて目が覚め、ハンドルが手のなかをすり抜けていくのを感じる。

被験者が以上のような記述を聞かされると、じっと寝かされていたにもかかわらず運動に関与する脳領域の活動が増大し、目を閉じていたのに視覚に関与する脳領域が活性化した。またもっとも注目すべきことに、言葉の意味を処理しているだけにもかかわらず、心拍、呼吸、代謝、免疫系、ホルモン系などの体内の機能をコントロールするさまざまな脳領域に活動の増加が見られた。

では、なぜ言葉だけで体内にこれほど広範な変化が生じるのだろうか？　その理由は、「言語を処理する脳領域の多くは、身体予算管理を支援している主要な組織を含め、体内もコントロールしているから」というものだ。[2]科学者が「言語ネットワーク」と呼ぶネットワークに属するこれらの脳領域は、心拍数の増減を導き、細胞の燃料になるグルコースの血中への流入を調節し、免疫系を支援する化学物質の流れを変える。「言葉の力」とは単なるたとえではなく、脳の配線の内部に実際に存在する。他の動物にも類似の配線が見られ、たとえば鳥類のさえずりに重要な役割を果たすニューロンは、体内の器官もコントロールしている。

ならば言葉は、人間の身体を調節する道具《ツール》だといえよう。他者が発した言葉はあなたの脳の活動と身体システムに直接的な影響を及ぼし、あなたの言葉は他者に同様な影響を及ぼす。ここでは意図的か否かは関係ない。わたしたちの脳はそのように配線されているのだ。

では、その影響はどの程度まで及ぶのだろうか？　たとえば言葉は健康にどれくらい悪影響を及ぼすのか？　少しなら影響はない。誰かにいやなことをいわれたり、侮辱されたり、殴るぞと脅《おど》されたりすれば、その瞬間に身体予算に負荷がかかってひどい気分になったとしても、脳や身体が物理的に損傷するわけではない。心臓は高鳴り、血圧は変化し、汗は出るかもしれないが、身体はやがて回復し、脳は耐性を高めて少しばかり強靭になっていることも考えられる。進化はわれわれに、一時的な代謝の変化に対処し、そこから恩恵を引き出すことさえできる神経系を与えてくれたのである。

おりに触れて生じるストレスは運動のようなものであり、身体予算がわずかのあいだ引き出されても再び預金されれば、わたしたちはより強くなる。

とはいえ回復する機会がないままストレスを受け続けると、やがて深刻な状況に陥る。次から次へと襲ってくるストレスにつねに耐え、身体予算がどんどん削られていくような状況は慢性ストレスと呼ばれ、危険なほどの悪影響をもたらす。慢性ストレスに寄与するいかなる要因も、脳を次第に侵食していき、身体的な病気を引き起こす。その要因には、身体的な暴力、言葉による暴力、社会的拒絶、重度の放置など、わたしたち社会的動物を苦しめる無数の巧妙な手段が含まれる[3]。

ここで重要なのは、人間の脳は慢性ストレスの数ある要因を判別できないという点を理解しておくことだ。病気、貧困、ホルモン異常、睡眠不足、運動不足などの生活上の問題のせいで身体予算がすでに枯渇している場合、脳はあらゆる種類のストレスの影響を受けやすくなる。それには自分や身近な人々を脅したり、虐《しいた》げたり、苦しめたりすることを意図した言葉による身体的な影響も含まれる。身体予算に対して恒常的に負荷がかかっていると、通常はすぐに回復できるようなたぐいのものを含め、一時的なストレスが次第に蓄積していく。それはベッドの上で跳ね回る子どものようなものだ。つまりベッドは、その上で10人の子どもが同時に跳ね回っても耐えられたにせよ、11人目が乗った瞬間に壊れるかもしれない。

端的にいえば、長期にわたる慢性ストレスは脳に損傷を与えうる。[4] そのことは科学的な実験によってはっきりと示されている。研究によれば、侮辱や脅しを受けている人は病気にかかりやすくなる。その基盤をなすメカニズムはまだ解明されていないが、そうなることに疑いを差し挟む余地はない。

言葉による暴力に関する研究は、政治的信条を問わずごく普通の人々を対象に行なわれている（われわれは政治的信条にかかわらず社会的動物である）。誰かに侮辱されても、それが1回や2回なら、あるいはおそらく20回でも、脳が損傷することはない。しかしそれが何か月も続くと、また身体予算につねに容赦なく負荷がかかる環境のもとで暮らしていると、言葉は脳に物理的な損傷を与えうる。それはその人がひ弱とか繊細だからというわけではなく、人間だからだ。わたしたちの神経系は、良くも悪くも他者の行動に結びついている。研究で得られたデータの解釈やその重要性についてはさまざまな議論があろうが、データはデータである。

科学者としては注目すべきデータだが、一個人としては心配な結果に不安を覚えざるを得ないふたつの研究がある。食物摂取へのストレスの影響についての調査だ。[5] 一方の研究が示すところでは、食事して2時間以内に社会的ストレスにさらされると、身体はその食事に104カロリーが余分に加えられたものとして代謝する。それが毎日続けば、1年で約5キログラム太るはずだ！　のみならず、健康な飽和脂肪酸を含むナッツのような食物でも、ストレスを受けて1日以内に食べると、身体はそれをあたかも不健康な脂肪に満ちた食物であるかのように代謝する。わたしは何も、ストレスを受けているときには魚油よりフライドポテトを優先して食べてもかまわないといいたいのではない。そこは良識に従うべきだろう。いずれにせよ、ストレスは実際にあなたを太らせるということだ。

神経系の最良の味方は他者であり、最悪の敵も他者である。この状況は、人間の本性に関して根本的なジレンマをもたらす。脳は身体を健全に保つために他者を必要とする。それと同時に多くの文化のもとでは、個人の権利と自由が重視される。だが相互依存と自由は、必然的に対立する。ならば、生き残るために神経系を調節しあわなければならない社会的動物たるわたしたちは、いかにして個人の権利を尊重し、育んでいけるのだろうか？

この問いに答えるためには、いったん科学者の白衣を脱いで、政治的領域におずおずと足を踏み入れねばならない。自分のいいたいことは誰に対してもほぼ何でもいえるということを意味する個人の自由に対する信念と、人間には社会に依存する神経系が備わっている、すなわち自分の発言が他者の身体や脳に影響を及ぼしうるという生物学的事実のあいだには、真の対立が存在する。この対立をいかに解消するかを考えることは科学者の仕事ではない。しかし生物学的な現実を指摘し、社会的、政治的領域で生じる諸問題に取り組むよう人々を啓発することは科学者の仕事である。ゆえに次の指摘をしておきたい。

まずひとつには、文化によって価値観が異なるため、この問題を世界規模で解決するのは不可能である点だ。たとえばヘイトスピーチは、アメリカではあからさまに誰かを脅して傷つけようとしない限り合法と見なされるが、単なる批判をした者に死刑判決をいい渡す国もある。

さらにいえば、個人的な経験からすると、自由と相互依存の根本的な矛盾は論じることさえむずかしく、解決するともなればなおさらだ。アメリカでこの矛盾について議論すれば、あるいはそもそも問題として取り上げるだけで、必ずや誰かに社会主義者と非難されるか、合衆国憲法修正第1条で保証されている言論の自由に反対するつもりかとなじられるだろう。しかしどの国で暮らしていようが、自由は党派を超えた論点であり、当該の問題に鑑みつつ誰もがそれを望んでいるはずだ。たとえばアメリカで銃規制に関する議論がはじまれば、たいてい保守派は個人の自由を、またリベラルは規制を支持する次第になる。妊娠中絶について議論すれば、今度はその逆になり、保守派は規制を、リベラルは個人の自由を主張する。

たしかにアメリカでは、この矛盾の解決が言論の自由の制限によってなされることはない。歴史を紐解けば、生物学的問題を克服し、自分たちの価値観に沿って暮らしていけるようになったことを示す事例はいくらでもある。たとえば病原菌の保菌者は、健康な人を病気にし、悪くすると死に至らしめることさえあるが、個人の自由を制限する解決手段が採用されるのは最悪のケースに限られる。わたしたちは通常、協力しあって状況の改善に努める。石鹸を発明し、新たな薬品やワクチンの開発を進め、握手するのではなく肘と肘をタッチするあいさつに習慣を変える。それでも不十分であれば、人との接触をできるだけ避け、ソーシャルディスタンスを保つよう専門家が勧告する。自由社会のもとでも、ウイルス同様、目には見えないありかたで自分の行動が他者に影響を及ぼしうる点に変わりはない。

少なくともアメリカにおいては、自由と相互依存の矛盾に対する、より現実的な解決手段は、自由にはつねに責任がともなうという点をしかと認識しておくことだ。わたしたちには言論と行動の自由があるが、自分の言動によって生じた結果を免れることはできない。自分では結果を大して気に留めていなくても、あるいは自分のせいではないと思っていても、いずれにせよわれわれはそれによって生じるコストを支払わなければならない。

わたしたちは、糖尿病、がん、うつ病、心臓病、アルツハイマー病などの、慢性ストレスによって悪化する疾病の医療に、ますます多大なコストを払わなければならなくなっている。また、建国の父たちが思い描いていた理性的な議論を重ねるのではなく、駄弁を弄《ろう》し個人攻撃にあけくれる政治家たちの非効率性のせいで、余分なコストを支払っている。あるいは政治的な色あいを帯びた議論を生産的に行おうと努力しても、結局民主制を衰退させる膠着状態に陥ることで市民としてコストを支払わされている。

さらには、世界規模の貧困問題が改善されないことでもわれわれは重荷を背負っている。つねにストレスを受けていれば、人間は十分に学べなくなるからだ。創造や革新には、失敗を繰り返しても立ち直って再挑戦する粘り強さが求められ、その努力には余分なエネルギーを投下しなければならない。脳は代謝に関わる身体予算の20パーセントを費やす、もっとも「高くつく」身体組織だ。そして生涯を通じてつねに、どのエネルギーをいつ使うか、いつ蓄えるかについて経済的決定を下している。身体予算が赤字になって負荷がかかると、なかなか賢い消費者にはなれない。

よく「科学者は日常生活に役立つ研究をすべきだ」といわれる。言葉、慢性ストレス、疾病に関する以上の発見は、まさに日常生活に役立つ研究の典型をなす。人間の基本的な尊厳を念頭に置いて人々が交流するようになれば、現実の身体的恩恵を得られるだろう。そうしなかったとしても現実の生物学的な結果がもたらされ、それはやがて、すべての人にとっての経済的、社会的コストと化していくはずだ。個人の自由にともなう代価は、他者に対する自分の影響に対して責任を負わねばならないことだ。われわれ一人ひとりの脳の配線が、この見かたの正しさを裏づけてくれるだろう。

社会が医療、法、公共政策、教育に関して何らかの決定を下すとき、社会に依存する神経系を無視することも、真剣に考慮に入れることもできる。それに関する議論はむずかしいものにもなりうるが、それを避けて通ればさらに悪い結果がもたらされるだろう。身体が消えてなくなることなどないからだ。

人間の相互依存性を真剣に考慮に入れることは、諸権利の抑制を意味するわけではない。人間はお互いに影響を及ぼしあっていることを理解しておくべき、といいたいだけである。周囲の人々の身体予算から引き出して社会の健康や福祉を食いつぶすのではなく、人々の身体予算に貢献するような心構えを個々人が持てるはずだ。

ときには、他者を不快にすることやいいにくいことを、いわざるを得ない場合がある。それこそが民主主義の根幹をなす部分だからだ。しかし、そうした状況のもとでわたしたちは、ただ自分のいいたいことをいっているだけなのか、それとも誰かに耳を傾けてもらいたいと思いつつ発言しているのだろうか？　後者なら、自分が伝えたいメッセージは、語り口にもっと注意を払えばより効果的なものになると心得ておくとよい。語り口は、わかりにくいメッセージを、聞き手の身体予算にやさしいものにも、厳しいものにもする。われわれが自由に話すとき、聞き手に耳を傾けてもらえるようなありかたで語りかけることには意義がある。

たいていの人は、他者が育てたものを食べ、他者が建てた家に住んでいる。われわれの神経系は他者によって調節され、自分の脳は周囲の人々の脳と知らぬ間に協力している。この隠れた協力がわれわれの健康を保っているのだ。だから脳の配線という非常に現実的な観点からしても、わたしたちが他者をどう扱うかがとても重要になる。わたしたちは乳児（レッスン3）や自分自身（レッスン4）に対して、自分が考える以上に、また望む以上に責任を負っているばかりでなく、他者に対しても同様に責任を負っているのだ。好むと好まざるとにかかわらず、わたしたちは自分の行動や言葉を通して、周囲の人々の脳や身体に影響を及ぼしている。そして彼らから、同様の恩恵を受けているのである。

Lesson 6

脳が生む心の種類はひとつではない

インドネシアのバリ島の住民は、恐怖を感じると眠る。[1] あるいは少なくとも眠るべきだと考えている。

恐怖を感じたら眠るというのは奇妙に思えるかもしれない。欧米文化圏で育った人なら、その場で凍りつく、目を見開く、息を呑むあたりだろうか。あるいはB級ホラー映画によく出てくる若いベビーシッターのごとく目を固く閉じて悲鳴をあげるか、一目散に逃げだす。しかしこの一連の行動は、恐怖を感じたときに示すとされる欧米の紋切り型《ステレオタイプ》にすぎない。それがバリ島のステレオタイプでは眠ることなのだ。

では、どのようなタイプの心が恐怖を感じると居眠りをはじめるのか？　それは、あなたの心とは違うタイプの心だ。

人間の脳は、さまざまな種類の心を生む。単に、あなたの心が友人や隣人の心とは異なるといいたいのではない。ここでわたしがいいたいのは、独自の基本的特徴を持つ、さまざまな心についてである。たとえばあなたがわたしと同じ欧米人なら、あなたの心には思考や情動と呼ばれる特徴があり、思考と情動は根本的に異なるものとして感じているはずだ。だがバリ島の人々やフィリピンのイロンゴット族の文化のなかで育った人々は、欧米人が認知や情動と呼んでいるものを、個々人が互いに異なるタイプのできごととしては経験していない。つまり彼らは、欧米人なら思考と感情の混合と呼ぶであろうものを、一体のものとして経験しているのである。その種の心の特徴がいかなるものかを思い浮かべられなくても問題ではない。なぜなら、あなたはバリ島人の心を持つわけではないからだ。

もうひとつ例をあげよう。多くの欧米人の心は、他人が何を考え、感じているのかを知ろうとする。この心の推論は、欧米文化圏ではごく基本的かつ重要なスキルなので、欧米人はそれができない人と出くわすと、彼らを違うタイプの人というよりは異常な人と見なす。しかし、他人の心を覗き込もうとすることなど不要と見なす文化もある。ナミビアで暮らすヒンバ族は、相手の行動の背後にある心の状態を推測するのではなく、行動そのものを観察することで互いを理解しようとする。あなたがアメリカ人に微笑みかけると、そのアメリカ人の脳は、あなたが自分に会ったことを嬉しく思っているのだと推測し、「ハロー」というだろうと予測する。だがあなたがヒンバ族の村人に微笑みかけると、村人の脳は、あなたが「ハロー（彼らの言葉では*moro*）」というだろう、と予測するだけだ。

あるひとつの文化のもとでさえ、さまざまなタイプの心を見出すことができる。誰にも思いつかないような計算式を思い描く天才数学者の心や、気候変動の問題を強く訴えながら世界中をヨットで巡っているティーンエイジャー、グレタ・トゥーンベリの心について考えてみてほしい。自閉スペクトラム症の心を持つ彼女は、他の人があえていわないことをはっきりいう。[2] 彼女は自分の症状を、どんな批判にも臆せずに任務《ミッション》を遂行し続けるよう支えてくれる「スーパーパワー」と呼ぶ。

統合失調症を抱え、つねに重度の妄想にさいなまれている人々について考えてみよう。今日では精神を病んでいるととらえられる人々が、数世紀前なら預言者や聖者と見なされることもあった。12世紀の学者で修道女のヒルデガルト・フォン・ビンゲンは天使や悪魔を幻視し、神が発したとされるどこからともなく響いてくる声を聞いていたという。[3]

本書をここまで読んできたあなたなら、このタイプの心の存在を知って驚いたりはしないはずだ。繰り返すと、人間はたったひとつの脳の構造（複雑なネットワーク）を備えるが、一人ひとりの脳は周辺環境に応じてチューニングやプルーニングを施される。また、心と身体は強く結びついており、その境界は穴だらけだ。さらにいえば、脳の

〈予測〉は身体に行動の準備を整えさせ、どう感じるか、何を経験するかに寄与する。

要するに、一人ひとりの身体に宿る脳は、その人が属する文化のもとで発達を遂げて配線され、独自の心を生む。人間の本性はひとつではなく、無数にある。人間の心は脳と身体のやり取りから生じる。そして各々の脳と身体は、物理的な世界に浸されて社会的な世界を作り出す、身体に包まれた他者の脳に取り囲まれている。

ここでひとつはっきりさせておこう。わたしは、「脳は白板《ブランクスレート》である」、つまり「生得的なものは何もなく、人は環境が要請するものなら何にでもなれる」と主張しているのではない。もしその種の心が生まれるとするのなら、レッスン2で取り上げた架空の脳構造、つまりすべてのニューロンが他のあらゆるニューロンに結合している「ミートローフ脳」からであろう。またわたしは、「人間は完成した脳を持って生まれてくる。よってたったひとつの普遍的な人間の本性が存在する」と主張しているのでもない。そのような心が生じるのなら、もうひとつの架空の脳構造、つまり独自の機能に特化したさまざまな部位によって構成される「ポケットナイフ脳」からであろう。[4] ここでわたしは、3つ目の可能性を提起する。「われわれは、さまざまな配線方法によって多様な心を生み出せるような脳の基本設計を備えて生まれてくる」というものだ。

人間が多様な心を持つという事実は重要である。なぜなら、多様性《バリエーション》は種の存続にとって不可欠の要素だからだ。チャールズ・ダーウィンの偉大な洞察のひとつは、多様性が自然選択の前提条件をなすと主張したことである。[5] 次のことを考えてみよう。食糧供給の劇的な減少、気温の急上昇などの環境の大幅な変化が生じた場合、多様性を欠く生物はおそらく絶滅を免れない。広い多様性を持つ生物は、いかなる災害が発生しても、新たな環境にうまく適応できる一部の個体が生き残る可能性が高い。ダーウィンは動物の身体にも多様性を見出しているが、それと同じ原理は人間の心にも当てはまる。すべての人間が同じ心を持つのなら、つまり人間の本性がたったひとつしかないのなら、壊滅的な災害が生じれば人類は絶滅するかもしれない。幸いなことに、同じ文化圏内でも異文化間であっても人間の心は多様であり、人類が絶滅する可能性は低い。要するに、多様性が人類の進化の可能性を担保しているのである。

ただ、多様性は、それが標準のことであって人類に恩恵をもたらしているのだとしても、われわれを不安にさせる。たったひとつの普遍的な人間の本性という概念は、それがつねに変化していると考えるよりはるかに快適だ。だから心の多様性を認める科学者でも、分類によってそれを飼い馴らそうとする。「温和」「冷酷」などといったラベルを貼ってこぎれいな箱に人々を振り分けていくのだ。「支配的」「面倒見がいい」「集団優先」「個人優先」——それぞれの箱は、普遍的とされる心の特徴を代表し、社会学者はこの箱を用いて人間の心を分類する。

性格にまつわる情報を集めて特定の箱に分類する、性格診断テストを受けたことがあるだろうか。その典型はマイヤーズ・ブリッグスタイプ指標（ＭＢＴＩ）で、この診断は、被験者の進路を検討するときに参考になるという名目のもと、さまざまな性格を表すラベルのついた16の箱に被験者を分類する。[6] 残念ながら、ＭＢＴＩの科学的妥当性は非常に疑わしい。ＭＢＴＩやそれに類する多くの性格診断テストは、自分自身についてどう考えるかを被験者に質問するという手法が取られている。ただ、その手法の質問は、日常生活における本人の行動とはほとんど何の関係もないことが研究で明らかにされている。個人的には、４つの箱しかないが、はるかに厳格なホグワーツ魔法魔術学校の寮組み分けテストを好む（わたしは「レイブンクロー」と診断された）。

また科学者たちは、何が正常で何が異常かを識別することで多様な心を組織化しようとする。そこでの問題は、「正常」が相対的な概念であることだ。たとえば、アメリカ精神医学会が刊行している精神疾患の公式なカタログでは、同性愛は長らく心の病気として扱われていた。今日では、多くの人々がさまざまな性的指向、アイデンティティ、ジェンダーを正常な変化《バリエーション》として認めている（それでも、このような変化を数々の小さな箱に詰め込んでいるには相違ないが、手始めにはなる）。

その種の組織化やラベル〔レッテル〕貼りはすべて、人類という種に共通する、心の性質を特定しようとする試みなのである。あなたとわたし、あるいはブエノスアイレスの農民、東京の商人、ナミビアのヒンバ族のヤギ飼いが同じ種であれば、人の心はすべて、特定のありかたで似かよったものだととらえるのが常識だといわんばかりだ。普遍的性質を宿す脳の神経回路を特定しようと試みている科学者さえいる。さらに彼らは、人間以外の動物の脳に類似の神経回路を見つければ、動物にもその心理的特徴があると結論づける。するとそれをもって進化を遂げた人間の本性についての理解を一歩進めたかのように考え、優越感に浸るのだ。

しかしここまでのレッスンで明らかにしたように、脳の働きの理解ともなると、常識はあまり役に立たない。脳は誰にも共通する特徴を数多く備えている。しかし、心に関してはそうはいえない。なぜなら心は、文化によってチューニングやプルーニングを施されるミクロの配線に部分的に依存しているからだ。一例をあげよう。欧米文化圏に住む多くの人は、心と身体のあいだに明確な境界線を引く。胃が痛めば、かかりつけの医師に相談するか、胃腸病専門医に診てもらう。だが不安を感じたときには、たとえ症状と原因が胃の痛みと同じだったとしても心理士に相談する。しかし仏教の教えが示すように、東洋文化圏では心と身体は密接に統合されたものと見なされている。

わたしが知る限り、人間の心にはいかなる普遍的な特徴も備わっていない。たとえば人間ならではの特徴として、「豊かな話し言葉」のことを思い浮かべてみよう。すると、いかなる特徴を取り上げようが、新生児のようにその特徴を持たない人間を見つけられるだろう。あるいは「協力」など、人間ならほぼ誰でも持っている心の特徴をひとつ思い浮かべてみれば、その特徴を備える動物がたくさんいることに気づくはずだ。

それでも、世に広く見出される心の特徴は存在する。普遍的ではないとしても、きわめて有用であるがゆえに存在するのだ。一例として、人間関係を結ぶ能力があげられる。他者との関係で自己を確立する心を持つことは、とりわけ個人より集団を重視する文化圏で暮らしていれば、とても有用になる。また、集団より個人を重視する文化圏では、自己を他者と切り離して考える心を持つことが有用になる。だが、自己にも他者にも関心を持たない人は、いかない、いかなる文化圏でもうまくやっていけないはずだ。

特に大事な心の特徴で、もっとも普遍的に近いもののひとつは、身体からもたらされる一般的な感覚、つまり「気分《ムード》」である。ちなみに、科学者はそれを「アフェクト」と呼ぶ〔以下原文でaffectとある箇所は、より一般的な用語の〈気分〉で統一する〕。〈気分〉は快から不快、不活性《アイドル》の状態から活性化された状態の範囲で変化する。[7] そして〈気分〉は情動とは異なる。情動的であろうがなかろうが、また気づくか否かにかかわらず、脳はつねに〈気分〉を生成している。

〈気分〉は喜びや悲しみの源泉であり、また、ものごとを深遠なもの、あるいは神聖なものに見せることもあれば、些細なもの、もしくは邪悪なものに見せることもある。信仰心の篤《あつ》い人にとっては、神との結びつきを感じさせるかもしれない。必ずしも特定の宗派の信者でなくてもスピリチュアルな心を持つ人には、自分より大きな存在の一部であるという超越的な感覚をもたらす。懐疑論者には、他者が間違っているという確信を喚起させる。

では、〈気分〉はどこから生じるのだろうか？　あらゆる瞬間に、つまりあなたがこの文章を読んでいる瞬間にも、各器官、ホルモン系、免疫系は膨大な感覚データを生み出しているが、あなたがそれに気づくことはほとんどない。心拍や呼吸に気づくのは、それらが激しくなったときか、注意を向けたときに限られる。高すぎたり低すぎたりしなければ自分の体温に気づくことはまずない。だが脳は、このデータの嵐からつねに意味を構築し、身体の次の動きを〈予測〉して、代謝のニーズをそれが生じる前に満たしている。身体の内部で生じるこれらすべての活動のさなかに、奇跡的な何かが起こる。脳はその瞬間に身体で起こっていることを要約し、この要約を〈気分〉として感じるのである。

したがって〈気分〉は、心身の調子を示すバロメーターのようなものだ。ここで、脳はつねに身体予算を管理していることを思い出そう。〈気分〉は、自分の身体予算の帳尻があっているか赤字なのかを示唆してくれる。理想をいえば、進化は身体予算を的確に調節するためのアプリやスマートウォッチのような、もっと具体的な装置をわれわれに与

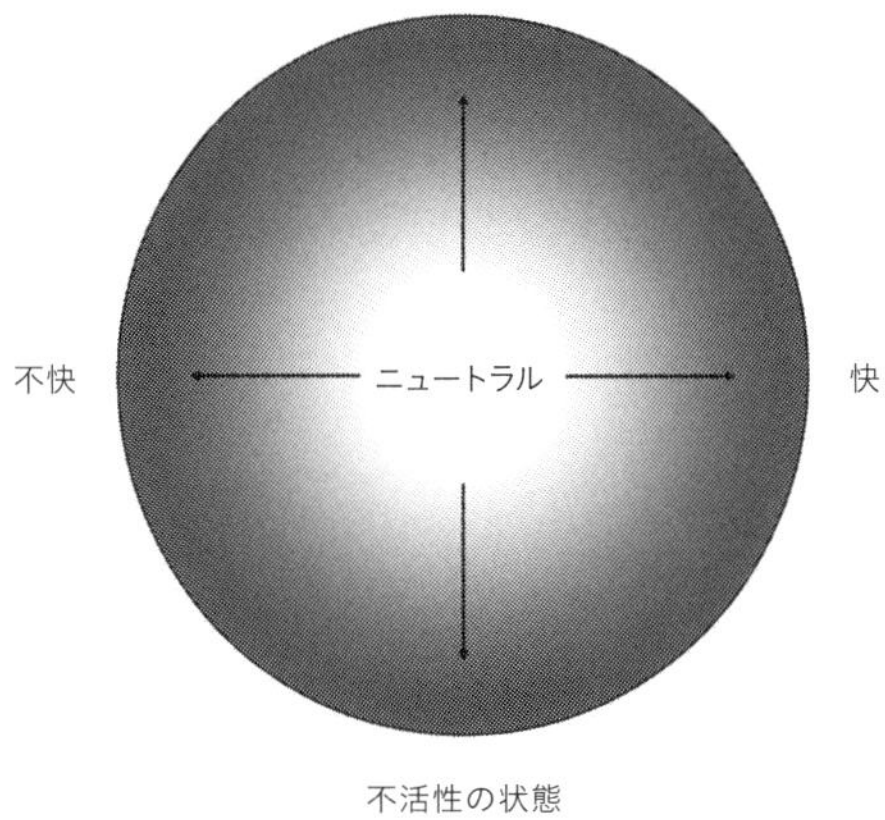

〈気分〉の性質

えるべきだった。[8] それはたとえばこんな装置だ。「ブー！　グルコースのレベルが低下しています。リンゴか、ひと切れのチョコレートを食べましょう。ところで、あなたは昨晩よく眠れていません。だからドーパミンが脳内で不足しています。ミルクを入れた深煎りのコーヒーを250ミリリットル飲み、明日の割り当てからエネルギーを前借りして、今日を平穏無事に過ごしましょう」。ただ残念ながら、我々が備える〈気分〉はそこまで正確ではなく、せいぜい「ブー！　調子がイマイチです」と教えてくれるだけだ。それをもとに脳は、次に何をすべきかを〈予測〉して、健康を維持していかねばならない。

　科学者たちは、身体的な現象である脳の身体予算管理が、いかにして心的現象としての〈気分〉に変換されるのかを解明できていない。わたしの研究を含め、世界中で行なわれた数百の研究が、この変換を実際に観察しているにもかかわらず、身体的なシグナルから心的な感情への変換は、意識をめぐる大きな謎のひとつとしてベールに包まれたままだ。またこの変換は、薄っぺらな神秘的観点ではなく確固とした生物学的観点から考えて、心の一部が身体によって構成されることを再確認する。

　あらゆる文化において、快、不快、平穏、興奮を感じる心を生み出しているとはいえ、何がこのような感覚を引き起こすのかについては一致を見ていない。軽い接触でも快く感じる人もいれば耐えがたいと思う人もいる。尻を平手打ちされたい人さえいる。ここでも幅広い変化が見られるというのが標準なのだ。身体を調節する脳の働きは普遍的だったとしても、結果として生じる心的経験は普遍的ではない。

あなたの心のタイプは、無数にあるタイプのうちのひとつにすぎない。あなたは、たった今抱えている心に縛られてはいない。心は変更可能であり、人はいつでもそうしているのだ。たとえば学生はカフェインやアンフェタミンを摂取して、期末試験の前に徹夜を覚悟する。パーティー参加者は、みんなの輪のなかで引っ込み思案にならないようお酒を飲んで心を解き放つ（すると不思議なことに、周囲の人々が突然魅力的に見えてくる）。だが、興奮剤やアルコールが引き起こす体内の化学物質による変化は、長くは続かない。ただ、以前の章で述べたように、新たな経験を積んだり、未知の知識を学んだりして脳を再配線すれば、もっと長続きする変化が得られる。

心を変えようと試すにあたってとりわけ大胆な方法は、未知の文化圏に飛び込むことだ。田舎のネズミと都会のネズミの話やマーク・トウェインの『王子と乞食』を読んだことがあれば、はたまた『ロスト・イン・トランスレーション』（米・2003年）のような映画を観たことがあれば、それがどういうものかはわかるだろう。これらの物語の主人公たちは、まったく不慣れな異文化のなかでどう行動すべきかがわからず、途方に暮れる。

最低限のルールさえわからないような文化圏に突然放り込まれたところを想像してみよう。挨拶は？　相手を見るときに視線はどこに向けるべきか？　他者との距離は、どのくらい開ければ失礼にならないか？　あの見慣れない手のしぐさや顔面筋の動きは何を意味するのか？　あなたの心は、新たな文化にいちいち順応しなければならない。科学者はこれを「文化変容」と呼ぶ。これは、極端なバージョンの可塑性と見なせよう。あなたは突然、未知のあいまいな感覚データのシャワーを浴びたとする。脳はそれらの意味を効率的に推測できるよう、チューニングやプルーニングに追われることだろう。

文化変容は非常に困難なものにもなりうる。左側通行の国から右側通行の国に移住したことのある人なら、その苦しみをじかに経験したはずだ。何なら食べられて何はダメなのかというシンプルな判断さえ、未知の文化圏ではある種の冒険になる。食事に招待されて、目の前に茹でた羊の頭や一皿の蜂の子、あるいはスポンジケーキが出てきたところを想像してみよう。ある文化圏ではごちそうでも別の文化圏では食べられないことは往々にしてある。

文化変容は、必ずしも地理的境界を越えなくても起こる。仕事と家庭では文化が違うし、転職して新たな規則や専門用語を覚える場合にも文化が変わる。兵士は少なくとも二度、文化変容を経験する（入隊時と除隊時だ）。

脳はつねに〈予測〉を発して、身体予算を管理している。この〈予測〉が自分の文化と合致しなければ、身体予算は赤字になり、病気にかかりやすくなる。そしてこれは、とりわけ移民の子どもたちに当てはまる。彼らは、両親が育った土地の文化と移民先の文化というふたつの文化にさらされるので、ふたつのタイプの心のあいだで切り替えを迫られる。そしてこの状況が、彼らの身体予算に負荷をかけるのだ。

タイプが異なるふたつの心の良し悪しを比較することなどできない。環境への順応の度合いに差があるだけだ。

人間の心ともなるとさまざまに変化することが標準なのであり、われわれが「人間の本性」と呼んでいるものは、実際には数多くの「人間の本性」を意味している。「われわれは皆人間である」と主張するために、普遍的な心を想定する必要などない。わたしたちが必要としているのは、物理的環境や社会的環境に応じて脳自体を配線する能力を持つ、並外れて複雑な脳だけである。

Lesson 7

脳は現実を生み出す

わたしたちは人生のほとんどを、人間が作り上げた世界で過ごす。人間が境界線を引いて名づけた市や町で暮らす。住所も、人間が作った文字や記号などの組みあわせで綴られる。本書を含めてあらゆる本が、作り出された記号によって書かれている。紙や金属やプラスチックでできた「お金」と呼ばれる手段を用いて本や他の商品を買う。お金には目に見えない形態もあり、ケーブルを介してコンピューターサーバー間を移動し、Ｗｉ－Ｆｉネットワークを通じて電磁波として空中を伝播する。さらには目に見えないお金を使って、飛行機の優先搭乗権やサービス特典など、目に見えないものの取引もできる。

わたしたちは日々、そんな人間が作り上げた世界に自主的に参加している。そして、その世界が現実だ。わたしたちにとって、この世界は、同じく人間が作ったあなた自身の名前と同じように現実なのである。

われわれの誰もが、人間の脳内にのみ存在する〈社会的現実〉の世界で生きている。

どこでアメリカを出てカナダに入国したか、ある水域の漁業権が誰に帰属するか、1月に地球は公転軌道上のどこに位置するのか――これらが物理や化学で決まるわけではない。とはいえこれらのものごとは、われわれにとっての現実、つまり〈社会的現実〉なのである。

岩石、樹木、砂漠、海洋に覆われた地球は、物理的現実だ。〈社会的現実〉とは、われわれがこぞって物質的な事象に新たな機能を課すことを意味する。たとえば地球上の一定の区域がひとつの「国」であることに、また、大統領や女王のような特定の個人がその国の「リーダー」であることに同意する。

〈社会的現実〉は、人々が心を変えただけで瞬時かつ劇的に変わる場合がある。たとえば1776年、13のイギリスの植民地がなくなり、アメリカ合衆国になった。また〈社会的現実〉の世界は、ときに生命の危険をもたらすほど深刻なものにもなる。中東では、特定の土地がイスラエル人のものかパレスチナ人のものかをめぐって人々が争い、殺しあいまでしている。〈社会的現実〉は、はっきりと口には出されずとも、われわれの行動によって作り出されているのだ。

〈社会的現実〉と物理的現実の境界は穴だらけである。[1] そのことは科学的実験で明らかにできる。いくつかの研究によれば、人は高価だと思い込んでいるワインをおいしく感じ、〝環境にやさしい〟というラベルが貼られたコーヒーは、ラベルが貼られていないだけで中身は同じコーヒーと比べておいしく感じる。このように〈社会的現実〉に浸った脳の〈予測〉は、食べ物や飲み物に対する知覚のありかたを変えるのだ。

あなたもわたしも、わざわざ意図しなくても他者と〈社会的現実〉を作り出せる。なぜなら人間の脳を備えているからだ。現時点での最新の知見に基づけば、この能力は他のいかなる動物の脳にも真似できない。つまり〈社会的現実〉とは、人間ならではの能力なのだ。人間の脳がいかにしてこの能力を発達させたのかはまだはっきりとは解明されていないが、わたしが5つのCと呼ぶ能力に関係していると考えられる。創造性（creativity）、コミュニケーション（communication）、模倣（copying）、協力（cooperation）、圧縮（compression）である。[2]

まず、創造的な脳が必要だ。美術や音楽の創作を可能にしている創造性はまた、大地の表面に線を引いてそれを国境と呼ぶことを可能にする。この営為は、特定の〈社会的現実〉（つまり国家）を作り出し、一定の区域に、物理的な世界には存在しない市民権や移民権などの新たな機能を課すことを求める。次回税関を通る際、あるいは自分の住む町から別の町に出るときでもよいので、あらためて考えてみよう。境界とは、人間が作ったものだということを。

次に、「国」や「国境」などの概念を共有するために、他の脳と効率的なコミュニケーションをとれる脳が必要になる。そして効率よくコミュニケーションをとるなら、やはり言語を用いるべきだ。たとえば、わたしがあなたに「ガス欠だ」というときに、「それは、わたしの消化管のことじゃなくって車のことね」などとわざわざ補足する必要はない。あるいは「近い将来、車を運転してガソリンスタンドまで行って車から降りて給油機にプラスチック製のカードを差し込んで料金を支払って（……）するつもりだよ」などと細かく説明したりはしない。あなたの脳もわたしの脳も、効率よくコミュニケーションをとれるよう、この能力を駆使しているのだ。厳密にいえば、狭い範囲であれば〈社会的現実〉に言葉は必ずしも必要ではない。あなたの車とわたしの車が交差点で鉢あわせして、わたしがあなたに先に発進するよう手を振れば、あなたはわたしの手の動きを見て、その意味を推測し、以降は自分でもその身ぶりを使うようになる。しかし〈社会的現実〉をどんどん拡張してそれを根づかせるためには、言語は通常、他の記号より効率的に機能する。そのことは、言葉を使わずに交通規則を決めたり教えたりする場合を考えてみればわかる。

　またわたしたちは、調和のとれた生活を送れるよう、法や規範を確立するために、互いを確実に模倣することで学習できるような脳が必要だ。わたしたちは子どもに規範を教え、環境にあわせて小さな脳が配線されるよう仕向ける。また社会に新しく参入する者との日常のやり取りを円滑にするだけでなく、彼らが無事に生活していけるように規範を教えるのだ。わたしは以前、荒涼とした未開の地を探検した19世紀の探検家についての本を読んだ。[3] 彼らの多くはそこで死んでしまうのだが、その地で先住民と知りあえた探検隊たちは生き残れた。先住民たちは探検隊のメンバーに、何が食べられるのか、どう調理すればいいか、何を着るべきかなど、未知の自然条件のもとで生きていくための秘訣を教えてくれたのだ。他人の模倣もせず、皆が各々で生きるすべを一から見つける必要があったなら、人類はすぐに死に絶えてしまうだろう。

さらには、地理的に広大な規模で協力しあう能力が必要だ。台所の戸棚にしまった豆の缶詰に手を伸ばすというありふれた行為でさえ、はるか彼方の地で豆を植えて育てる人たち、缶の原料になる金属を採掘する人たち、収穫された豆を各地の店に輸送する人たち、その店を材木や釘やレンガを使って建てる人たち、その建築資材を製造し運ぶ人たち、その建築に必要な技術や工具をはるか昔に考案した人たちなど、自分以外の多くの人々がいるからこそ可能になる。また、豆の缶詰を買うにはお金がかかるが、紙幣や硬貨は、自分以外の人々が運営する政府などの公的機関が発行し、維持している。このように、〈社会的現実〉の共有のおかげで、無数の人々が必要なときに必要な場所で必要とされる仕事をしている。戸棚から豆の缶詰を取り出して夕食を作れるのはそのおかげだ。

創造性、コミュニケーション、模倣、協力という4つのCは、人類に大きく複雑な脳を与えた遺伝的変化とともに生じた。しかし大きさと高度な複雑さだけでは、脳が〈社会的現実〉を作り出し、維持するためには十分でない。そのためには5つ目のC、つまり他のいかなる動物の脳にも備わっていない緻密な能力である、圧縮が必要とされる。[4]では圧縮とは何か、以下でたとえを用いて説明しよう。

あなたは、目撃者の証言に基づいて犯罪を捜査する刑事だったとしよう。そして20人の目撃者の証言を1人ずつ聴取したとする。そのうちのいくつかの証言は、関与している人物や犯行現場が類似している。また誰の過失か、あるいは逃走車の色などに関しては証言が食い違っている。あなたはこの一連の証言から重複する部分を切り詰めて、事件の経緯を要約する。のちに署長から何が起こったのかを尋ねられたら、かくして要約された内容を話せば効率よく伝えられる。

それと同じようなことが、脳のニューロンのあいだで起こっている。たったひとつの大きなニューロン（刑事）が、さまざまな速度で発火する多数の小さなニューロン（証言者）からシグナルを受け取っているのだ。大きなニューロンは、多数の小さなニューロンが発するすべてのシグナルを反映するのではなく、冗長性を削減することで受け取ったシグナルを要約、すなわち圧縮する。圧縮後、大きなニューロンは要約した情報を効率的に他のニューロンに伝えることができる。

ニューロンによる圧縮プロセスは、脳全体にわたって大規模に生じる。それは、目や耳などの感覚器官から入ってきた感覚データを伝達する小さなニューロンからはじまる。[5] この感覚データには、すでに脳によって〈予測〉されていたものもあれば、新しいものもある。後者の感覚データは、小さなニューロンから高度に結合された大きなニューロンに送られ、そこで要約データへと圧縮される。要約データは、より高度に結合された大きなニューロンに送られ、そこで再度圧縮されたうえで、さらにいっそう高度に結合された大きなニューロンに送られる。このプロセスは、脳の前部に位置する濃密に配線された脳領域に至るまで続く。そしてそこで、もっとも濃密に結合された最大のニューロンが、もっとも一般的で高度に圧縮された要約データを生み出す。

そう、脳は大きくて太った、要約の要約の要約データを圧縮して作り出すことができるのだ。だが、それが〈社会的現実〉とどう関係するのか？ 圧縮は、大きく複雑な脳が抽象的に思考することを可能にし、この抽象能力が、残りの４つのCとともに

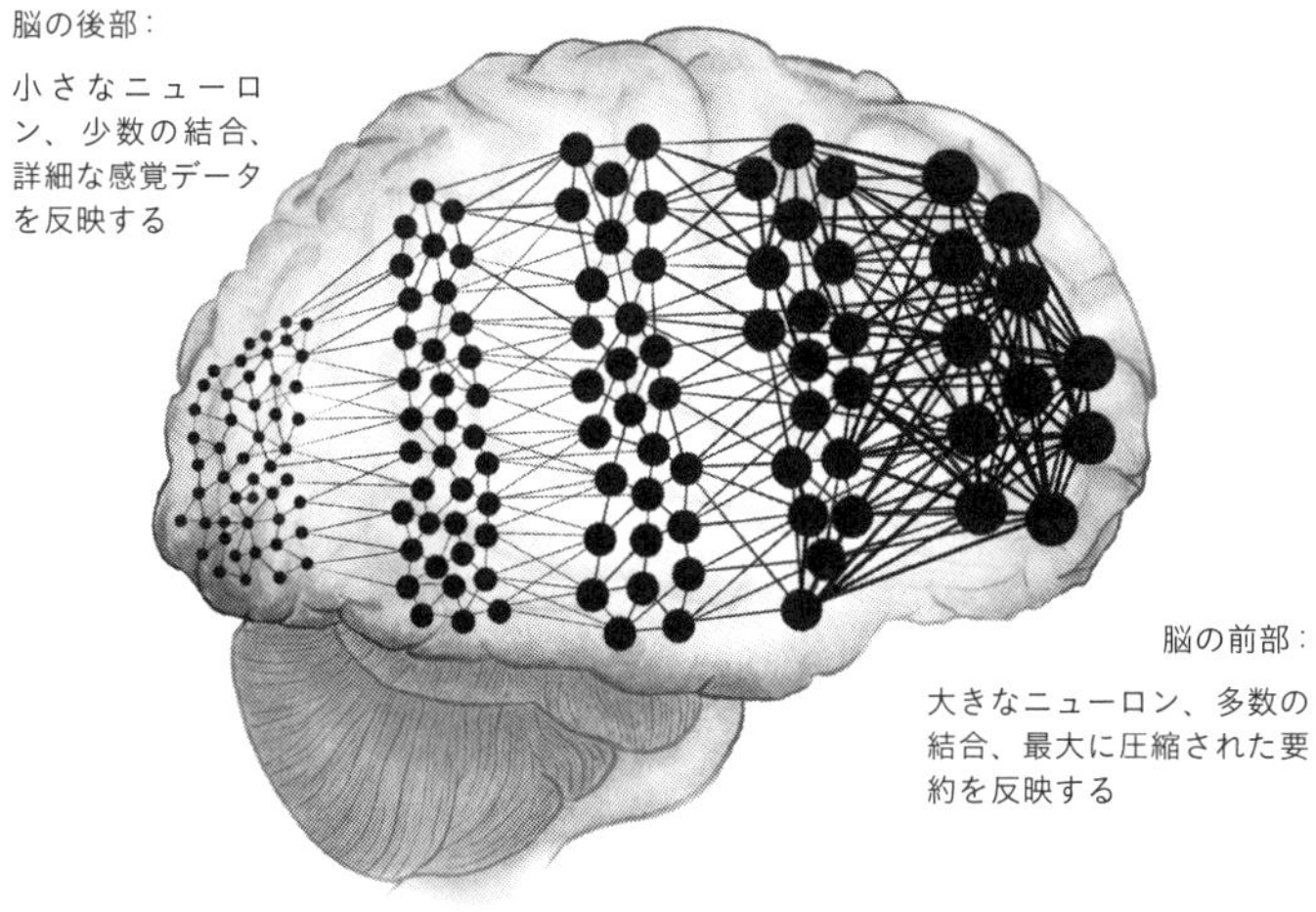
脳の後部：
小さなニューロン、少数の結合、詳細な感覚データを反映する
脳の前部：
大きなニューロン、多数の結合、最大に圧縮された要約を反映する

抽象を可能にする脳による圧縮
（この図は概念的なものであり、解剖学的に正確なものではない）

〈社会的現実〉を生み出せるようにしているのである。[6]

一般に「抽象」という言葉は、たとえば「ピカソの絵に描かれた立方体に顔を見出す」などのように抽象芸術について語るとき、また「物体を特定の軸に沿って回転させる」など抽象的な数学について語るとき、はたまた「殴り書きされた数値を解読し、それをもとに家計を管理する」など、抽象的な記号について言及するときに用いられる。

しかし抽象の心理学的な意味は、以上の例とは異なる側面に焦点を絞る。絵や記号の詳細ではなく、そこに意味を見出すわたしたちの能力に着目するのである。とりわけわたしたちは、モノに物理的な形状のみならず機能を見出す能力を備えている。たとえば抽象は、外見上ではまったく似ていないワインボトルと花束と金の腕時計を見て、それが「成功を祝うための贈り物」であるという理解をもたらす。脳は、圧縮することでこれらの事物の物理的差異を剝《は》ぎ取り、その過程を経て類似の機能を持つものとして理解するのである。

　抽象はまた、ひとつの物体に複数の機能を課すことを可能にする。一杯のワインは、友人が笑顔で「おめでとう！」という場合と、牧師がおごそかに「キリストの血」と宣言する場合では別の意味を持つ。

　抽象は次のように機能する。脳は、あらゆる感覚器官から入ってきたデータを圧縮して、一貫した全体へと統合する。この脳の活動が感覚統合と呼ばれることはレッスン3で触れた。このようにニューロンがさまざまな入力データを圧縮して要約を生み出すごとに、この多感覚の要約はひとつの抽象データとして機能する。脳の前部では、もっとも高度に結合された最大のニューロンによって、もっとも抽象化された多感覚の要約が生み出される。だからわたしたちは、花と金の腕時計のような、似ても似つかないもの同士を類似のものとして、また同じワインを、友人を祝うものとも、神聖なものともとらえられるのである。

レッスン2で述べたように、われわれ人間は高度に複雑化した脳を備えているが、高度な複雑さだけでは人間の心は生まれてこない。脳の複雑さは初めて見る階段でも登れるようにしてくれるが、権力や影響力を手にするために社会的階段を上るという表現を理解するには、それ以上の何かが必要になる。その何かが抽象だ。抽象は、脳が過去の経験の断片を要約して、物理的には異なるもの同士が別のありかたでは類似することを教えてくれる。また、ヘビの髪をした女性などの見たこともないものを認識する力を与えてくれる。あなたは（古代ギリシャ人も）本物を見たことなどないはずだが、メドゥーサの絵を見れば、ただちに彼女が何であるのかがわかる。なぜなら、不思議にもあなたの脳は、「女性」「もじゃもじゃの髪」「地を這うヘビ」「危険」などの馴染みの概念を組みあわせて、ひとつの一貫した心像を組み立てられるからだ。また抽象は、脳が音声を結びつけて言葉にし、言葉をつなぎあわせて概念にすることを可能にする。だから人間は、言語を学習できるのだ。

ここまで述べてきたことを要約しよう。人間の大脳皮質の配線は圧縮を、圧縮は感覚統合を、感覚統合は抽象を可能にする。抽象は、高度に複雑化した人間の脳が、物理的な形態に基づくのではなく、機能に基づいた柔軟な〈予測〉を発することを可能にする。これが創造性であり、わたしたちは、コミュニケーション、協力、模倣を通じて〈予測〉を共有することが可能だ。こうして5つのCは、〈社会的現実〉を作り出し、共有する能力を人間の脳に与えてくれる。

5つのCのそれぞれは、程度は異なるとはいえ他の動物にも備わっている。たとえば、カラスは木の枝を道具として用いる創造的な問題解決者であり、ゾウは数キロメートル先まで届く低いうなり声でコミュニケーションをとり、クジラは歌を模倣しあう。アリはエサを調達して巣を守るために協力し、ミツバチは抽象能力を行使して花粉を見つけた場所を巣の仲間に報《しら》せるためにダンスする。

だが人間においては、5つのCは絡みあい、相互に強化していく。[7] これは、人間を他の動物とはまったく異なる次元に置く能力である。鳥は歌を成鳥から学ぶ。人間は歌そのもののみならず、休日にはどの歌がふさわしいかなど、歌をめぐる〈社会的現実〉も学ぶ。ミーアキャット〔マングース科の動物〕は、幼獣に瀕死の獲物を与えて練習させることで獲物の殺しかたを教える。人間は殺しかたのみならず、偶発的な事故によって他人を死に至らしめることと殺人の違いを区別し、それぞれに対して異なる刑罰を科す。ラットは、おいしいエサに匂いで印をつけることで食べても安全なものについて教えあう。人間は、何が安全な食べものかだけでなく、自分が生活する文化圏では何がメインディッシュで何がデザートかを、またどの食器を使えばよいかなども学ぶ。

イヌ、類人猿、一部の鳥類などの動物も、シグナルを相応に圧縮する脳を持ち、ある程度抽象的にものごとをとらえる能力を備えている。だがわたしの知る限り、圧縮や抽象を用いて〈社会的現実〉を作り出せる脳を備えているのは人間だけだ。特定のイヌが、「あの空き地は人間たちと遊ぶ場所だ」「家のなかで糞をしてはならない」などといった独自の社会的規則を発達させることはあるだろう。しかしイヌの脳は、人間が言葉を用いて自分の考えを伝えあって〈社会的現実〉を作り出すのとは違い、一連の概念を他のイヌに効率よく伝えることができない。チンパンジーは、シロアリの巣穴に棒を突っ込んでおいしい食料を引き出すなど、互いの行動を観察して模倣することはできるが、そのような学習は〈社会的現実〉ではなく、「この棒はシロアリの巣穴に挿入するのにちょうどよい」という物理的現実に基づいている。仮に一群のチンパンジーが、地中から特定の棒を掘り出した者がジャングルの王になるということに同意したなら、それは〈社会的現実〉になるだろう。というのも、掘り出された棒に物理性を超えた王権という機能を付与しているからだ。[8]

ほとんどの動物は、生息するニッチのもとで専門家《スペシャリスト》になるべく進化的に適応してきた。その好例が、シカの角やアリクイの舌だ。それに対して、人間はなんでも屋《ジェネラリスト》になった。進化は5つのCを混ぜあわせて、自己の意志に基づいて世界を変えるよう人間を駆り立てる妙薬を作ったのだ。どんな動物の脳も、物理的環境のもとで生じた生存と健康の維持に関わるものごとに注意を払い、それ以外を無視する。だが人間は、物理的環境から特定のものごとを選択して独自のニッチを築くだけでなく、集団で新たな機能を課し、それに従って暮らすことで別の次元をつけ加える。このように〈社会的現実〉とは、人間がニッチを築くことで作られたものなのだ。

〈社会的現実〉は、なんとも驚くべき贈り物である。ミーム〔模倣によって社会に伝わり、増殖していく文化情報〕、伝統、法など、誰かが何かをでっち上げて、人々がそれを現実として扱えば、実際に現実になるのだから。人間の社会は、物理的な世界の周囲にわたしたちが築き上げてきた緩衝地帯なのである。作家のリンダ・バリーはこう述べている。「われわれは現実から逃避するために幻想世界を創るのではない。そこに滞在できるよう創るのだ」[9]

また〈社会的現実〉は、われわれに巨大な責任を負わせることがある。それは非常に強力なので、遺伝的進化の速度や経緯を変えることさえできる。その一例に、政府の支配によって一世代の人々が遺伝子プールから実質的に排除された、ルーマニアの孤児たちの悲劇がある。その他の例には中国の一人っ子政策があり、その結果、娘より息子を重視する文化のもとで女子より男子の人口のほうが多くなったため、最終的に数百万の中国人男性が結婚できなくなった。この手の人為的な選択は、富、社会階級、戦争によって格差が生じたあらゆる社会で起こっている。そのような社会では、生殖できない人々が増えてしまう。〈社会的現実〉は、人々が単に創造的なアイデアを共有するだけで人類の進化のルートを変えることを可能にさえした。たとえばわれわれは化石燃料技術を発明することで、自分たちのコントロールが及びにくいような物理的世界を生み出してきた。

〈社会的現実〉の真の驚くべき側面のひとつは、自らがそれを作り出しているという事実にわれわれ自身がほとんど気づいていないことだ。人間の脳は自らの働きを誤解し、〈社会的現実〉を物理的現実と取り違えてさまざまな問題を引き起こす。たとえば、人間は途轍もなく多様だが、それはどんな動物にも当てはまる。しかし人間は他の動物と異なり、多様性を「人種」「ジェンダー」「国籍」などを示すラベルのついたいくつかの小さな箱に分類する。そしてそのラベル付きの箱を、自分たちで作ったものであるにもかかわらず、あたかも最初から備わっていた性質の一部であるかのごとく扱う。つまりこういうことだ。「人種」という概念には、往々にして「肌の色」

などの身体的な特徴が含まれる。[10]しかし肌の色は連続的なもので、ある色調と別の色調の境界は、その社会に属する人々によって決められて、維持されている。遺伝に訴えることで境界を正当化する者もいる。確かに肌の色は遺伝子に大きく左右されていることは間違いないが、目の色、耳の大きさ、爪の形状にも同じことがいえる。特定の文化圏で暮らしているわたしたちは、区別を指し示す特徴を選択して、「われわれ」と呼ぶ集団と「彼ら」と呼ぶ集団の差異を拡大する分割線を引く。この分割線はランダムではないが、生物学的に規定されるのでもない。またひとたび線が引かれると、人々は肌の色を何か別のものの記号として扱うようになる。それこそが、〈社会的現実〉なのだ。

　また、わたしたちは日常の行動を通じて〈社会的現実〉を維持している。輝くダイヤモンドをあたかも価値があるものとして取り扱い、有名人《セレブリティ》を偶像化し、選挙に投票するたびにそうしているのだ。また、わたしたちの行動が〈社会的現実〉を変えることがある。ときに、代名詞のtheyを複数の人々ではなく、あるひとりの人物を指すときにも用いるようになるなど〔この表記は、とりわけ最近になって文脈的に個人の性別を確定できないケースで用いられることが多くなっている〕比較的小さな変化もあれば、何年にもわたる戦争や虐殺をもたらした旧ユーゴスラビアの分裂や、高価なスーツに身を包んだ一部の人々が抵当権の価値の下落を宣言したら実際にそのとおりになり、世界中に大災厄をもたらした2007年の大不況のように劇的な変化もある。

〈社会的現実〉には限界がある。そもそもそれは物理的現実の制約を受けざるを得ない。手をバタバタさせれば空を飛べることに皆が同意したところで、実際には飛べるわけがない。とはいえ、〈社会的現実〉はわれわれが考えている以上に融通が利く。たとえば、あらゆる証拠を隠滅して「地球上に恐竜が存在したことなどない」ことに皆が同意し、恐竜のいない過去を展示する博物館を建てることはできる。政治家がとんでもないことを口走ったところを撮影されたにもかかわらず、その映像をお蔵入りすることに各局が同意すれば、何もなかったことにできる。事実、全体主義的な社会ではそのような事態が実際に起こる。〈社会的現実〉は、人類が達成した最大の業績のひとつではあれ、対立を生み出す武器にもなりうる。〈社会的現実〉は操作されやすい。そもそも、民主主義それ自体も〈社会的現実〉だ。

〈社会的現実〉とは、多数の人間の脳が集まることで生じたスーパーパワーであり、自らの運命を切り拓く可能性を、また人類の進化に影響を及ぼす可能性すらも与えてくれる。われわれは抽象的な概念を作り出し、共有し、現実へと織り込み、協力しあうことでいかなる環境——自然、政治的、社会的を問わず——をも征服することができる。そして思っている以上に現実をコントロールしており、予想を上回るほど、現実に対して責任を負っているのだ。

いかなるタイプの〈社会的現実〉も、境界線として機能する。衝突事故を防ぐ道路交通法のように人々に役立つ境界線もあれば、奴隷制や階級制のように、特定の人々に利益をもたらす一方でそれ以外の人々を苦しめる境界線もある。人々はこれらの境界線の道徳性をめぐって議論しているが、好むと好まざるとにかかわらず、その種の境界線を強化するたびに各々が何らかの責任を負わなければならない。スーパーパワーは、あなたがそれを手にしているということを自覚したときに、最大の威力を発揮するのだ。

エピローグ

　太古の時代、わたしたちは海中を漂う、棒についた小さな胃だった。そこから少しずつ進化し、感覚系を発達させ、自分たちがより大きな世界の一部にすぎないことを学んできた。それとともに身体システムを発達させ、自分たちより大きな世界を効率的に動き回るようになった。また、身体予算を管理する脳を進化させて、他の身体に宿る脳とともに、集団で生きるようになった。やがて海洋から這い出して陸地に上がった。そして進化の過程を通じて、試行錯誤による革新と無数の種の絶滅を経たあとで、人間の脳になったのだ。この脳は、数々の偉業をなし遂げられるが、同時にひどく自らを誤解している。人間の脳は、

▼非常に豊かな心的経験を生み出すため、情動と理性が心のなかで争っているかのように感じる。

▼非常に複雑であるため、わたしたちはメタファーを用いてそれを記述し、事実と勘違いする。

▼脳自体を再配線することに非常に長《た》けているため、生まれてから学んできたあらゆる種類のものごとを、生まれながらに持っていたものと考えてしまう。

▼すぐに幻想を抱くため、わたしたちは世界を客観的に見ていると信じ込む。そして脳はあまりにも迅速に〈予測〉するため、自分のした動作を反応と取り違える。

▼気づかないうちに他の脳と調節しあっているため、わたしたちは自分が独立した存在であると考えてしまう。

▼非常に多くの種類の心を生み出すものであり、わたしたちはすべてを説明するたったひとつの「人間の本性」があると思い込む。

▼自分の発明を信じることに長けているため、わたしたちは〈社会的現実〉を最初から備わっていたものと取り違える。

今日では、脳に関する知識は膨大に増えた。それでもまだ学ばなければならないことは山ほどあるのだが、本書では差し当たり、人間の脳のすばらしい進化の旅をスケッチし、生活のもっとも重要かつ挑戦的な側面と、その意義を考察するに十分なほどは学んできた。

人間の脳の大きさは、動物界で最大のものではない。また、いかなる客観的な意味においても、最高の脳とはいえない。それでも、わたしたちの脳であることに変わりはない。力の源泉にもなれば欠点にもなる。文明を築く能力も、破壊する能力も与えてくれる。まったくもって、不完全で輝かしい人間にしてくれるのが、わたしたちの脳なのだ。

謝辞

本書は、多くの人々に支えられて刊行に至った。とりわけ専門知識を惜しみなく分け与えてくれ、どの文献を読めばよいかを教示し、いつも寛大さと忍耐を持ってわたしの執拗な質問に丹念に答えてくれた神経科学者たちに多くを負っている。まず比類なきバーバラ・フィンレイに感謝したい。彼女は進化と発達に関する神経科学の目利きで、おりに触れてわたしに発生学に関する細かいことを教えてくれて、進化や発達の観点から神経解剖学や神経科学のさまざまな知見を紹介してくれる。彼女の博識ぶりにはいつも驚かされるばかりだ。レッスン½とレッスン1は彼女がいなければ書けなかったし、彼女の影響は他の章にも及んでいる。現在彼女とわたしは、脊椎動物における動機づけと情動の進化と発達について論じる学術書を共同執筆中で、いずれMIT出版局から刊行される予定である。

古くからの同僚で友人でもある神経学者のブラッド・ディッカーソンにも非常に感

謝している。わたしたちは、ボストンのマサチューセッツ総合病院で10年以上にわたって脳画像研究を共同で行ない、30本以上の論文を共著で発表してきた。とりわけ、ときに熱狂的にもなるわたしの科学的考察を喜んで聞いてくれる彼の姿勢に感謝の念を抱いている。また、神経科学を専攻しはじめたばかりのわたしを支えて、励ましてくれた最初の神経科学者だったマイケル・ヌーマンに特にお礼の言葉を述べたい。

次に、わたしがこれまで多くを学んできた、あるいは現在でも学んでいる、神経科学を専攻する愉快な共同研究者たちに感謝の意を表したい。ジョー・アンドレアーノ、シア・アツィル、モーシェ・バー、ラリー・バーサルー、マルタ・ビアンチャルディ、ケヴィン・ビッカート、エリザ・ブリス＝モロー、エメリー・ブラウン、ジェイミー・バンス、シプリアン・カターナ、ロレーナ・チャネス、マクシミリアン・ショーモン、サラ・ダブロウ、ヴィム・ファン・デュフェル、ウェイ・ガオ、タルマ・ヘンドラー、マルタイ・ファン・デン・ヒューヴェル、ジェイコブ・フッカー、ベン・ハッチンソン、勝見祐太、イアン・クレックナー、フィル・クラーゲル、アーロン・クシ、ケスタス・クヴェラガ、クリステン・リンドクウィスト、ダンテ・マンティーニ、ヘレン・メイバーグ、守口善也、スザンヌ・ウスターウィク、ギャル・ラズ、カール・サーブ、アジャイ・サトピュート、リアンヌ・ショルテンス、カイル・

シモンズ、ジョーダン・テリオー、アレクサンドラ・トゥルトグロー、トーア・ウェイガー、ラリー・ウォルド、マリアン・ヴァイアリヒ、クリスティ・ウェストリン、スーザン・ホイットフィールド＝ガブリエリ、クリスティ・ウィルソン＝メンデンホール、ジャホー・チャンの諸氏である。また、より秀でた神経科学者たらしめんとわたしに動的システムや複雑系などの計算関連のトピックについて教えてくれた、勇猛なコンピューター科学者たちにも深く感謝している。ダナ・ブルックス、サラ・ブラウン、ジョム・コル＝フォント、ジェニファー・ダイ、デニズ・エルドグマス、ズルカーナイン・カーン、マドゥール・マンガラム、ヤン＝ウィレム・ファン・デ・ミエント、サラ・オスタダバス、ミーシャ・パヴェル、スミエントラ・ランペルサド、セバスティアン・ルフ、ジーン・チュニック、マシュー・ヤロシの諸氏、ならびにノースイースタン大学のPENグループのその他のメンバーである。統計学者のティム・ジョンソンとトム・ニコルズにも感謝したい。

また本書は、ホートン・ミフリン・ハーコート社の担当編集者アレックス・リトルフィールドの際限のない熱意と専門的な助言がなければ完成しえなかった。とりわけ彼の注意深い読解力と、複雑な脳に関する観察に基づいた事実と、人間であるとはどういうことかという根源的な問いを結びつけるよう激励してくれたことに対して感謝している。その点では、神経科学と心理学と哲学が交錯する逆巻く海域を航海しながら、思考を発展させようと激闘していたときにわたしを助けてくれた、『ニューヨーク・タイムズ』紙のジェームズ・ライアーソンにも多くを負っている。

さらに本書は、ヴァン・ヤングの芸術的スキルと好奇心に大きな恩恵を受けている。彼のチームが描く創意工夫に富む挿画は、本書が提示する科学を生き生きとしたものに仕立ててくれた。多くの読者に科学を伝えたいと願う彼の強い気概に敬意を表したい。デザインに関して助言をいただいたアーロン・スコットにもお礼の言葉を述べたい。彼の持つ専門知識、鋭い視点、創造性は、複雑な科学的概念をわかりやすいイメージに置き換えようとするわたしの努力を10年以上にわたって助けてくれた。

HMH社の製作ならびにマーケティングチームのメンバーであるオリヴィア・バーツ、クロエ・フォスター、トレーシー・ロー、クリス・グラニス、エミリー・スナイダー、ヘザー・タマルキン、そしてとりわけ類《たぐい》まれなる広報の達人ミシェル・トリアントに感謝の言葉を述べたい。またわたしのエージェント、マックス・ブロックマンのつねに変わらない熱意と長年にわたる支援、ならびに彼の会社のメンバー、トマス・ディレイニー、イヴリン・チャベス、ブレアナ・スワインハート、ラッセル・ワインバーガーに感謝する。

本書は、草稿を読み、コメントや批判や新たな考察を加えてくれた人々のおかげでかなり改善された。彼らの多くはわたしの親友であり、並外れた科学者でもある。ケヴィン・アリソン、ヴァネッサ・ケイン・アルヴェス、エリザ・ブリス＝モロー、ダナ・ブルックス、リンゼイ・ドレイトン、サラ・ダブロウ、ピーター・ファラー、バーブ・フィンレイ、ルドガー・ハートリー、ケイティ・フーマン、ベン・ハッチンソン、ペギー・カルブ、シオナ・リダ、ミカ・ケッセル、アン・クリング、バーチャ・メスキータ、カレン・キグリー、セバスティアン・ルフ、アーロン・スコット、スコット・スリーク、アニー・テミンク、ケリー・ファン・ディラ、ヴァン・ヤングの諸氏である。また、特定の章を対象に緻密な科学的検証を行なってくれたオラフ・スポーンズとセバスティアン・ルフ（レッスン2）、ディマ・アムソ（レッスン3）、ベン・ハッチンソンとサラ・ダブロウ（レッスン4）に特に感謝したい。

また、ノースイースタン大学の学際的感情科学研究室とマサチューセッツ総合病院に所属する同僚と研修生に心からお礼の言葉を述べたい。本書の内容の多くは、才能あふれる若い科学者からなるコミュニティーで続けられている議論や研究のトピックでもある。現在所属しているメンバー、ならびにかつて所属していたメンバー全員の一覧は、affective-science.org を参照してほしい。求めに応じて次から次へと必要な論文をただちに探し出してくれるサム・ライオンズと、わが研究室を共同で運営しているカレン・キグリーにとりわけ感謝したい。カレンは、身体の末梢組織の生理学、内受容、アロスタシスに関して深い知識を持つ。われわれはよく冗談で、身体に関する彼女の知識と脳に関するわたしの知識をあわせれば人間全体が組み立てられるとジョークを飛ばしている。

またとりわけ、マサチューセッツ総合病院の、マルティノス生物医学画像センターとセンター長ブルース・ローゼン、ならびにノースイースタン大学心理学部と学部長のジョアン・ミラーに感謝している。彼らの支援と忍耐のおかげで、わたしは神経科学者、心理学者、そしてサイエンスコミュニケーターとして身を立てることができた。

本書は、ジョン・サイモン・グッゲンハイム財団とアルフレッド・P・スローン財団からの助成金のおかげで刊行できた。両財団の寛大な支援に深く感謝する。

最後にわたしがもっとも愛するふたつの脳、つまり娘のソフィアと夫のダンによる激励、忍耐、そしてわたしの身体予算のバランスをとってくれたことに無限の感謝を捧げる。

訳者あとがき

本書は*Seven and a Half Lessons About the Brain*（Houghton Mifflin Harcourt, 2020）の全訳である。

著者のリサ・フェルドマン・バレットはノースイースタン大学の心理学部教授で、心理学と神経科学の両面から情動を研究している。その革新的な成果が米国議会やＦＢＩ、米国立がん研究所でも活用されており、世界で最も引用された科学者の上位１パーセントに入る研究者である。

２０１７年に刊行された著者の『情動はこうしてつくられる――脳の隠れた働きと構成主義的情動理論』（拙訳、紀伊國屋書店、２０１９年）は、従来の情動理論を覆す大胆な主張が繰り広げられた画期的な書物であり、脳科学や心理学をはじめとする各界に波紋を呼び、大きな影響を与えつつある。

それに対して本書は簡潔で読みやすく書かれた脳科学入門書的な位置づけで、前作の主題であった情動にはほとんど触れられていない。
次に、各レッスンの内容を簡単に紹介しておこう。

レッスン½　脳は考えるためにあるのではない

「棒についた胃」のような太古の生物ナメクジウオから人類にまで至った進化の道のりを考察し、それをもとに、脳は身体のエネルギーを効率的に利用して生き残りを図るべく――つまり著者の用語を借りれば「身体予算を管理する」べく――進化してきたのであって、考えるために進化してきたわけではないことを論じる。

レッスン1　あなたの脳は〈3つではなく〉ひとつだ

脳についてのレッスンをはじめるにあたって、まずはこれまで長く流通してきた三位一体脳説の誤りを指摘し、読者の目を覚まさせる。「爬虫類脳」も「大脳辺縁系」も存在しないし、〈理性〉対〈本能と情動〉という見立ても間違いであることを示す。

レッスン2　脳はネットワークである

脳をネットワークとしてとらえることがいかに有益かを、脳の構造に関する基礎知識と最新の知見を踏まえて、世界の航空ネットワークにたとえながら考察する。また、脳がネットワーク構造を持つことによる優位性について、それを持たない架空の脳（「ミートローフ脳」や「ポケットナイフ脳」）と比較しながら解説する。

レッスン3　小さな脳は外界にあわせて配線する

乳幼児期の脳の発達は環境の影響を強く受けることから、育児や養育環境がいかに重要かを論じる。乳幼児の脳の配線においては、遺伝子も大事な役割を果たすが、同時に養育環境も、「チューニング」や「プルーニング」という生理作用を介して影響を及ぼす。ゆえに乳幼児の脳に適切なケアが与えられない場合、悲惨な結果を招くと警告する。

レッスン4　脳は（ほぼ）すべての行動を予測する

脳が過去の経験に関する記憶をもとに予測し、ものごとの意味を推測する器官であることを明らかにする（本文中では〈予測〉と山カッコつきで示した）。そして脳の予測から導き出される、自由意志や自己責任をめぐる哲学的な議論に触れつつ、予測が持つ性質を良い方向に用いれば、個人および社会に有益な結果をもたらすことを説く。著者はこれを「希望に満ちたもの」ととらえている。

レッスン5　あなたの脳はひそかに他人の脳と協調する

人間は社会的動物として、他者と身体予算を互いに調整し、脳を配線しあっていること、そしてそこには長所も短所もあることを論じる。また、身体予算の相互調整の主な手段として言語をあげ、言語が身体予算に大きな影響を及ぼす理由を、生理的事実に基づいて解説する。

レッスン6　脳が生む心の種類はひとつではない

この章で検討する「心の多様性」をもたらす要因のひとつは文化の影響であり、そこにはレッスン3で取り上げたチューニングやプルーニングが関与していることを示す。また、心の種類には幅広い変化が見られることが標準であるため、「温和」や「冷酷」などと人間の性格にレッテルを貼るような、心を分類する行為に懸念を示す。さらに、さまざまな心の特徴を把握する有用な方法として、〈気分《アフェクト》〉の分類を紹介する。

レッスン7　脳は現実を生み出す

脳によって構築される〈社会的現実〉について考察する。著者は〈社会的現実〉の構築に不可欠な5つの能力として、創造性、コミュニケーション、模倣、協力、圧縮をあげ、なかでもとりわけ、人間ならではの脳のメカニズムであり抽象的な思考を可能にする、「圧縮」について詳しく論じる。最後に、人間が〈社会的現実〉を作り出しているという事実から、実用的な側面でどのような利点や問題が生じるかを考察する。

❦

以上のような一連の短いレッスンで構成される本書には、訳者として補足すべきことはほとんどないが、以下2点のみ指摘しておきたい。

ひとつは、入門書の体裁をとってはいても、脳科学に関する最新の知見（予測、アフェクト、圧縮、縮重など）を盛り込んで書かれている点である。

たとえば予測する脳という見かたは、最近の脳科学書で頻繁に取り上げられており、それに触れずには最新の脳科学書とはいえないかのような盛況ぶりを呈している。

レッスン4の注6（183ページ）で言及されている、アンディ・クラークの著書

Surfing Uncertainty: Prediction, Action, and the Embodied Mind（Oxford University Press, 2015）はその代表的な1冊だが、訳者がごく最近読んだ脳科学書では、本書にも賛辞を寄せている神経科学者のデイヴィッド・イーグルマンによる *Livewired: The Inside Story of the Ever-Changing Brain*（Pantheon, 2020）や、マーク・ソームズの *The Hidden Spring: A Journey to the Source of Consciousness*（W. W. Norton, 2021）が、かなり詳しく脳の予測について論じている。

もう1点は、本書が脳の構造や機能に関する基礎的な枠組みを解説するだけでなく、身体や環境、さらには文化や社会と脳の関係を包括的な観点から理解できるよう構成されており、そこからは、たとえば育児や人間関係、さらには社会や政治のありかたなどについての実用的な知見も得られることである。

その点で本書は、脳を構造や機能（レッスン2、4）、発達（レッスン3）、社会（レッスン5、7）、心と文化（レッスン6）の各相のもとで考察するという順序で、ミクロ的視点からマクロ的視点へと段階的に脳の働きについて学べるよう、うまく構成されている。

このように脳の構造や機能に関する基礎知識から最新の知見まで見渡して、特に重要なトピックを精選して凝縮した本書は、格好の脳科学入門書だといえる（著者は冒頭で「脳についての基礎知識を網羅した入門書ではありません」と断っているが、入門書としてはそのほうが妥当であろう）。

なお、本書を読んで脳に関する最新の知見についてもっと深く知りたくなった方や、本書では扱われていない著者の革新的な情動理論に関心のある方は、ぜひ前作『情動はこうしてつくられる』へと読み進めることを推奨する。最後に、紀伊國屋書店出版部と、担当編集者の和泉仁士氏にお礼の言葉を述べたい。

2021年4月　高橋洋

る。進化生物学者リチャード・ドーキンスによって提起された利己的な遺伝子説は、その一例である。「拡張された進化的総合」と呼ばれるもうひとつの観点は、さまざまなCを考慮し、世代間での安定した情報伝達を可能にする他の要因を特定する(たとえば発達過程で脳の配線を導く視覚環境からの感覚データや文化的な情報伝達など)。進化発生生物学(エボデボ)に関する神経科学を取り入れたこの観点は、エピジェネティクスやニッチ構築、さらには文化的進化や遺伝子と文化の共進化のような他の伝達手段を考慮する。バーバラ・フィンレイやケヴィン・レイランドの見かたは、その一例である。それに関する科学的議論は当レッスンの範囲を超えるが、参考文献の一覧は☞ 7half.info/synthesis にて。

8　チンパンジーをはじめとする人間以外の動物の多くは順位制を持つが、その階層は社会的現実によって作り出されて、維持されるのではない。どのメンバーが最優位雄であるかに群れのすべての個体が同意するのは、最優位雄が自分に挑戦するすべての個体を殺すからだ。殺しは物理的現実である。現代の人間のリーダーのほとんどは、敵対者を殺害することなく権力の座に留まる。☞ 7half.info/sticks

9　作家で漫画家のリンダ・バリーによるこの幻想世界に関する言葉は、彼女の著書 *What It Is* から引用した。☞ 7half.info/barry

10　皮膚の色素は、環境中の紫外線の量に応じて進化してきた。明るい肌の色は、紫外線が少ない環境によりよく適応する。明るい色素は、皮膚による光の吸収を促進し、骨の成長と強化、ならびに健康な免疫系の維持に重要な役割を果たすビタミンDの産生を増大させる。それに対し暗い肌の色は、紫外線の多い環境によく適応する。なぜなら紫外線の過剰な吸収を妨げるからだ。この効果は、細胞の成長と代謝に必要なビタミンB_9(葉酸)の破壊を遅らせ、とりわけ妊娠初期に重要な役割を果たす(日光が葉酸を分解するため)。紫外線の強さは赤道からの距離によって決まるが、実際に皮膚を貫通する紫外線の量は皮膚の色素に依存する。それに関する詳細は、人類学者ニーナ・ジャブロンスキーの著書 *Living Color: The Biological and Social Meaning of Skin Color* を参照されたい。☞ 7half.info/skin

さらなる詳細を知りたい読者は、sevenandahalflessons.com を参考にしてほしい。

を生み維持するのに十分なエネルギーを（農業などによって）供給できる代謝的な条件が整わなければならない。それに関する有益な議論は、ケヴィン・レイランドの著書 *Darwin's Unfinished Symphony* ならびに進化生物学者リチャード・ランガムの著書『火の賜物――ヒトは料理で進化した』（依田卓巳訳、NTT 出版）を参照。☞ 7half.info/metabolic

5　感覚データは、目、耳、鼻などのさまざまな感覚器官によって集められ、脳が処理できる神経シグナルに変換される。感覚データは通常、脳に達する前にいくつかの中継点を経由する。たとえば視覚では、光受容体と呼ばれる網膜（眼球の背後にある薄い層）の細胞が光エネルギーを神経シグナルに変換している。かくして生じた神経シグナルは、視神経と呼ばれる神経線維の束を介して伝達される。視神経線維の大部分は、視床の一部をなす外側膝状《がいそくしつじょう》核と呼ばれるニューロン群に達する。この脳の構造の主たる仕事は、身体や外界から入ってきた感覚データを大脳皮質へと中継することにある。そこから神経シグナルは、一次視覚皮質とも呼ばれる、後頭葉に位置する皮質後部のニューロンに達する。また少数のニューロンの軸索が視神経から枝分かれし、体内システムの調節に重要な役割を果たす視床下部を含む皮質下の他の部位へと達している。

嗅覚系を除く他の感覚系も類似のありかたで作用する。嗅覚系に関していえば、空気中の化学物質を神経シグナルに変換する細胞が嗅球と呼ばれる構造に存在し、視床を迂回して直接大脳皮質に情報を送り出している。そして神経シグナルは、側頭葉と前頭葉のあいだの大脳皮質の一部を構成する、島《とう》皮質と呼ばれる脳領域の一部をなす一次嗅覚皮質に嗅覚データを伝達する。☞ 7half.info/sense-data

6　いかに脳が情報を圧縮し、圧縮が抽象化をもたらすのかに関しては、現在でも科学者間で議論されている。また高度に圧縮され抽象化された段階において、感覚情報や運動情報がどの程度残存しているのかに関しても、激しい論争が長く続けられている。抽象は「マルチモーダル」である、すなわちそこにはあらゆる感覚情報が含まれると主張する科学者もいれば、「アモーダル」である、つまりいかなる感覚情報も含まれないと主張する科学者もいる。証拠に基づいていえば、「マルチモーダル」である可能性が高い。たとえば最大に圧縮された要約は、神経学者や神経解剖学者が「ヘテロモーダル」であると、すなわち複数の感覚情報、ならびに運動情報を処理すると見なしている大脳皮質の領域で生み出される。

もしかすると、脳は圧縮以外の方法で抽象化を行なうことができるのかもしれない。というのも、（イヌのような）巨大な脳を持たない動物や、（ミツバチのような）大脳皮質のない生物でも、機能に基づいてふたつの事象を類似のものと見なす能力、つまりある程度の抽象能力を備えているからだ。☞ 7half.info/abstract

7　この考えと人間の進化の関連性は、現在でも科学者のあいだで議論されている。「現代の総合」と呼ばれる進化的観点は、（メンデルをもって嚆矢とする）遺伝学とダーウィンの自然選択の理論を組みあわせ、遺伝子のみが世代間で情報を受け渡す安定した手段であると想定す

7　〈気分《アフェクト》〉は、137ページの図に描かれているような、感情円環図と呼ばれる数学的構造によって記述できる。この議論は、心理学者のジェームズ・A. ラッセルによって最初に提起された。感情円環図は、円という図形を用いてさまざまな〈気分〉間の関係を示す。円環図（circumplex）という用語は「複雑性の循環的な秩序」を意味し、特定の感情が、少なくともふたつの基本的な心理特性によって特徴づけられることを示す。円はさまざまな感情がいかに互いに類似しているかを明らかにし、また二次元構造は類似する特性を記述する。
☞ 7half.info/circumplex

8　このたとえは、2018年のわたしのTEDx動画 "Cultivating Wisdom: The Power of Mood" でも用いた。☞ 7half.info/tedx2

Lesson 7　脳は現実を生み出す

1　この穴だらけの境界は、本章で取り上げているワインやコーヒーの実験などの味覚を用いた実験によって簡単に明らかにできる。より深刻な例は、貧困の悪循環について論じたレッスン3で取り上げた。社会的現実を構成する、貧しい人々に対する社会の受けとめかたは、脳の発達という物理的現実に影響を及ぼし、それがさらに、小さな脳が貧困生活を送る成人の脳へと発達する可能性を高める。☞ 7half.info/porous

2　5つのCというわたし独自の用語は、互いに補強しあうよう進化し、大規模な社会的現実を作り出す能力を人類に与えている5つの特徴を指す。創造性、コミュニケーション、模倣、協力という4つのCは、進化生物学者ケヴィン・レイランドの研究に啓発されたもので、彼の著書*Darwin's Unfinished Symphony: How Culture Made the Human Mind*に多くを負っている。彼は人間の進化における社会的現実の役割については論じておらず、それに関連する概念である文化的進化について述べている。☞ 7half.info/5C

3　先住民の協力を得ることで生き残った探検家の事例は、人類学者ジョセフ・ヘンリックの著書『文化がヒトを進化させた――人類の繁栄と〈文化－遺伝子革命〉』（今西康子訳、白揚社）を一読してほしい。☞ 7half.info/explore

4　圧縮は脳のさまざまな部位で生じる。ここでは大脳皮質、とりわけ第2層と第3層で生じる圧縮に焦点を絞っている。人間の脳では、これらの重要な皮質層の配線が強化されており、圧縮処理の効率が高められている。
　しかし、小さな社会的現実をひとつの文明へと統合するためには、圧縮能力を備えた大きくて複雑な脳のみではおそらく不十分であろう。そのためには、配線が強化された人間の脳

3　ヒルデガルト・フォン・ビンゲンは、彼女自身が「生ける光の影」と呼ぶ幻視が神の教示であると信じていた。彼女は何年にもわたり、言葉やアートで自分が経験した幻視を記録していた。誤解のないようつけ加えておくと、わたしは彼女に統合失調症、もしくは他の何らかの精神疾患の診断を下しているのではなく、「ある人物の神秘体験は、歴史的、文化的文脈によって、他の人々にとっては病的症状になりうる」という一般的な論点を指摘しているにすぎない。何人かの学者が、のちの時代の観点からヒルデガルト・フォン・ビンゲンに何らかの疾病の診断を下しているが、その種の判断はきわめて慎重になされねばならない。
☞ 7half.info/bingen

4　「ポケットナイフ脳」対「ミートローフ脳」という構図は、（脳ではなく）心に適用された場合には、「生得主義」対「経験主義」としてよく知られている。この哲学的論争は、知識が生得的なものなのか、それとも経験を通じて学ばれるものなのかをめぐるもので、数千年にわたって激しく論じられてきた。心理学者は、ときにこの論争を「能力心理学」対「連合主義」と呼ぶ。☞ 7half.info/nativism

5　チャールズ・ダーウィンは『種の起源』（渡辺政隆訳、光文社古典新訳文庫ほか）で、種内での個体間の多様性《バリエーション》が、進化の過程で自然選択が作用するための前提条件をなすと述べている。種は多様な個体の集まりであり、目下の環境にもっとも適合している個体が、生き残って自身の遺伝子を子孫に受け渡す可能性が高い（またこの子孫も、生き残って生殖する可能性が高い）。進化生物学者のエルンスト・マイヤーによれば、「個体群思考」と呼ばれる、進化に関するダーウィンの考えは、彼のもっとも革新的な概念のひとつである。入門者向けにはマイヤーの著書 *What Makes Biology Unique* を、また、より徹底した議論は『進化論と生物哲学――進化学者の思索』（八杉貞雄・新妻昭夫訳、東京化学同人）を参照されたい。
☞ 7half.info/variation

6　MBTI や他のさまざまな性格診断は、科学的証拠に裏づけられていないという点では占星術《ホロスコープ》と何ら変わらない。長年にわたって得られた証拠が示すところによれば、MBTI は、それが主張する水準を満たしておらず、被験者の将来の職業成績を一貫して示すことができない。それにもかかわらず、その種の性格診断は、他の面では有能な管理者を、従業員にも企業にも利益にならない決定へと導いている。では、なぜ診断結果が被験者にはほんとうらしく思えるのか？　なぜなら、性格診断は自分自身について自分が何を信じているかを問うからである。つまり性格診断は、自分自身に対する自分の信念を要約し、その結果を返してくるのだ。だから本人が「当たっている！」と思っても、そこには何の不思議もない。結論をいえば、被験者に自分の行動に関する意見を尋ねたところで、本人の行動を測定することなどできない。そうではなく、被験者の行動を複数の状況のもとで観察する必要がある。たとえば、同じ人がある状況のもとでは正直（引っ込み思案）になり、別の状況のもとでは不誠実（陽気）になることもありうる。☞ 7half.info/mbti

のことがわかった。暴力的な言葉が飛び交う過酷な家庭環境のもとで暮らす被験者は、時が経つにつれて免疫不全や代謝不全を引き起こしやすくなるのに対し、曝露の程度が平均的な被験者には炎症マーカーと代謝不全マーカーの変化が認められず、曝露の程度が最小限の被験者は健康な人が多かった。また、他の研究でも類似の結果が得られている。暴力を恒常的に受けている思春期のティーンエイジャーは、身体や心の病気の発症へと至る道を歩んでいるということだ。

このような研究が増えるにつれ、多くは言葉の暴力が関与する継続的な社会的ストレスと、身体や心の病気の発症率の高まりの結びつきが一貫して見出されている。たとえば、言葉の暴力は潜在するヘルペスウイルスを活性化し、ワクチンの効果を削ぎ、傷の回復を遅らせるに十分なほど免疫系の反応を変えられることを示す証拠がある。それを示した研究は、病弱な人々ではなく、政治的信条に関係なく選ばれた平均的な人々を対象になされている。またこの発見は、被験者が激しいストレスを経験していると報告したか否かにかかわらず当てはまる。☞ 7half.info/chronic-stress

5　ここでは、ストレスと身体による食物の代謝に関する、心理学者ジャニス・K. キーコルト＝グレーザーらによるふたつの研究に言及している。「1 年で 11 ポンド〔約 5 キログラム〕」という数値は、毎日 1 回の食事の前にストレスを受けているものと想定し、104 カロリー × 365 日 ÷（1 ポンドあたり 3,500 カロリー）という計算によって得られている。盛り上がりに欠けるディナーパーティーに参加したときには、このネタを披露して雰囲気を明るくしたくなる。☞ 7half.info/eat

---

Lesson 6　脳が生む心の種類はひとつではない

1　この例は、心理学者のバーチャ・メスキータとニコ・フライダの業績から引用した。ふたりは 1942 年に刊行された民族学書『バリ島人の性格――写真による分析』（外山昇訳、国文社）に言及している。この本の著者、人類学者のグレゴリー・ベイトソンとマーガレット・ミードは、バリ島で暮らす人々が、尋常ならざるできごとや恐ろしいできごとに直面したときに眠ることが多いと述べている。彼らの解釈によれば、わたしたちがホラー映画やサスペンス映画を観ているときに目を閉じて怖いシーンを観ないようにするのと同じように、バリ人は何か恐ろしいことを避けようとしているのだ。ベイトソンとミードによれば、眠りは社会的に承認された恐れに対する反応なのである。バリ人はそれを「*takoet poeles*（強い恐怖の眠りで）」と呼んでいる。☞ 7half.info/sleep

2　グレタ・トゥーンベリ自身はアスペルガー症候群だと述べているが、今日の診断基準名では自閉スペクトラム症である。☞ 7half.info/thunberg

3　少なくとも軽度の言葉の暴力に関していえば、その影響の程度は文脈に依存する。あらゆる罵《ののし》りが言葉の暴力なのではない。たとえば女性同士では、「あばずれ《ビッチ》」という言葉を、親愛、場合によっては励ましの意味を込めて用いることがある。同様に、ある文脈では肯定的な意味を持つ言葉が別の文脈では暴力的になることがある。あなたがパートナーに何かロマンチックなことを口にしたあとでパートナーが「こっちに来て言って（Come here and say that）」と応じれば、あなたの脳はキスを〈予測〉するだろう。だが、あなたがいじめっ子に口ごたえしたときに、いじめっ子が「こっちへ来ていってみろ（Come here and say that）」と怒鳴れば、あなたの脳は脅威を〈予測〉するはずだ。☞ 7half.info/aggression

4　いくつかの研究によれば、慢性ストレスは継続的な身体的暴力、性的虐待、言葉の暴力のいずれによるものかを問わず、長期にわたって脳と身体を蝕《むしば》む。このような科学的データは驚くべきかつ歓迎したくない結果を示しているものなので、少し詳しく証拠を検討することにしよう。ここでは一部を紹介するにとどめるが、詳細はこちら☞ 7half.info/chronic-stress

最初に指摘しておくべきは、慢性ストレスが脳萎縮を引き起こすことである。それは、脳の組織、とりわけ身体予算管理（アロスタシス）、学習、認知的柔軟性に重要な役割を担う脳領域の縮減をもたらす。

ストレスを受けている脳に何が萎縮を引き起こすのか？　この脳の変化は、身体的疾病に罹患する可能性や寿命とどう関連しているのか？　依然として科学者たちは、その生物学的詳細の解明に苦慮している。ひとつの問題は、いかなる変化が生じているのかを正確に理解するためには人間の脳のミクロの構造を十分な精度で観察する必要があるが、現時点ではそれができない点があげられる。だから科学者たちは、人間以外の動物を対象にストレスの影響を研究し、可能ならそれを注意深く一般化して人間に適用しているのである。それについては、たとえば神経内分泌学者ブルース・マッキエンの研究を参照されたい。

子どもに対する恒常的な言葉の暴力は、長期的な影響を及ぼす。一例をあげよう。554人の青年を対象に行なわれたある研究では、子どもの頃、両親や仲間から言葉の暴力を受けたことがあるかどうかを被験者に尋ねている。その結果、子どもの頃に言葉の暴力を受けたことがあると答えた被験者は、青年期になってから不安、うつ、怒りを経験しやすいことがわかった。驚くべきことにこの関係は、家族から身体的な虐待を受けた経験がある被験者より強く、家族以外の誰かから性的虐待を受けた経験がある被験者に匹敵する。この発見は、子どもの頃に言葉の暴力を恒常的に受けると、青年期になってから気分障害を引き起こしやすくなるという仮説に合致する、ただし、気分障害を持つ人々は、言葉の暴力を含め虐待経験を思い出しやすいという別の解釈も可能である。ふたつの仮説のどちらが正しいかを知るためには、他の研究を参照する必要があるだろう。

ある研究では、言葉による批判や争いが絶えない過酷な、もしくは無秩序な家庭で育つことの生物学的影響が測定されている。具体的にいえば、研究者たちは135人からなる10代の女性を対象として、炎症マーカー（インターロイキン－6）と代謝不全マーカー（コルチゾール抵抗性）を測定し、18か月のあいだに4回のインタビューを行なっている。その結果、次

3　脳が過去の経験を用いて到来する感覚データに意味を付与しているという考えかたは、免疫学者で神経科学者のジェラルド・エーデルマンが提起する、現在の意識的経験が「想起された過去」であるとする説にいくつかの点で類似する。☞ 7half.info/present

4　3つの線画はそれぞれ、滝下りをする潜水艦、逆立ちをするクモ、ジャンプ台から観衆を見下ろすスキージャンパーである。次の資料から引用した。*The Ultimate Droodles Compendium—The Absurdly Complete Collection of All the Classic Zany Creations of Roger Price*, ©2019 Tallfellow Press, Inc. Used by permission. All right reserved. Captions for the Droodles are: SUBMARINE GOING OVER A WATERFALL; SPIDER DOING A HANDSTAND; SKI JUMP AND SPECTATORS SEEN BY JUMPER. Tallfelllow.com.

5　芸術作品の知覚に関するこの見かたは、それを「鑑賞者の関与」と呼んだ美術史家のアロイス・リーグルに端を発する。その後、「鑑賞者の共有《シェア》」という言葉が、美術史家のエルンスト・ゴンブリッチによって造語された。☞ 7half.info/art

6　哲学者アンディ・クラークが「コントロールされた幻覚」という用語で同じことを雄弁に語っていたのを知るより数年前から、わたしは意識的な知覚と経験を「日常的な幻覚」と呼んでいた。彼の著書 *Surfing Uncertainty: Prediction, Action, and the Embodied Mind* を参照。今日では他の科学者も、経験をそのように記述している。とりわけアニル・セスのTEDトーク "Your Brain Hallucinates Your Conscious Reality" を参照のこと。☞ 7half.info/hallucination

7　これに関しては、わたしの2018年のTEDトーク "You Aren't at the Mercy of Your Emotions—Your Brain Creates Them" を参照。☞ 7half.info/ted

---

Lesson 5　あなたの脳はひそかに他者の脳と協調する

1　わが研究室で行なっている、被験者を脳スキャナーに寝かせてシナリオを聞かせる実験は、いくつかの論文で取り上げた。☞ 7half.info/words

2　「言語ネットワーク」と呼ばれる脳領域は、とりわけ脳の左側において「デフォルトモードネットワーク」と呼ばれるネットワークと広範に重なる。デフォルトモードネットワークは、体内のシステムをコントロールする、より大きなシステムの一部をなす。それには（循環器系、呼吸器系などの器官系をコントロールする）自律神経系、免疫系、（ホルモンの分泌や代謝をコントロールする）内分泌系が含まれる。☞ 7half.info/language-network

ムから心理学へ』(鹿取廣人・金城辰夫・鈴木光太郎・鳥居修晃・渡邊正孝訳、岩波文庫)を参照されたい。☞ 7half.info/hebb

3 「注意のランタン」といううまいたとえは、子どもにおける認知の発達を研究している心理学者アリソン・ゴプニックによるものである。彼女の著書『哲学する赤ちゃん』(青木玲訳、亜紀書房)を参照されたい。

注意のスポットライトの発達に重要な役割を果たしている能力は、〈注意の共有〉以外にもある。ひとつは脳による頭部のコントロールで、この能力は生後数か月以内に発達する。もうひとつは眼球運動制御と呼ばれる目の筋肉のコントロールで、この能力は生後数か月以内に高まる。

ここで、注意をコントロールする能力を、乳児がどの程度持っているのかをめぐって、科学者間で現在でも論争があることを指摘しておく。発達を研究している科学者の多くは、乳児が外界の特定の特徴(生き物かそうでないかなど)に注意を向けるべく遺伝的にプログラムされており、この生得的な能力を基盤にしてその後の発達が生じると考えている。
☞ 7half.info/lantern

4 全米科学・工学・医学アカデミーの2019年の報告書 *A Roadmap to Reducing Child Poverty* によれば、子どもの貧困は、社会に年間1兆ドルに近い負担をかけている。この報告書によれば、子どもを貧困から救済するために必要なコストは、子どもが成長してから被る貧困の影響に起因するコストよりはるかに安い。わたしの同僚の心理学者アイザイア・ピケンズは次のような皮肉を指摘する。わたしたちの文化のもとでは、貧困や逆境の悪影響が目立ちはじめたちょうどその年齢で、自己の行動に大きな責任が求められるようになる。
☞ 7half.info/poverty

Lesson 4 脳は(ほぼ)すべての行動を予測する

1 これについては2018年にTEDxで話したので、公開されている動画 "Cultivating Wisdom: The Power of Mood" を参照のこと。☞ 7half.info/tedx

2 感覚データはあいまいなばかりでなく、不完全でもある。外界や身体に関する情報は、網膜、蝸牛《かぎゅう》などの感覚器官によって処理されて、脳に送られると失われる。科学者たちは現在でも、どの程度の量の情報が失われるのかを論争しているが、ニューロンによって伝達される知覚対象になる感覚データが、外界や身体から到来するものより少ないという点で見解の一致を見ている。☞ 7half.info/incomplete

を加えておく。ポケットナイフを構成するツールの特定の組み合わせ（パターンと呼ぶことにする）においては、各ツールは「使用」か「不使用」というふたつの状態のいずれかをとる。おのおのがふたつの状態をとれる14のツールは、およそ16,000のパターンをとることが可能だ。

$$2 \times 2 \times 2 \times 2 \times 2 \times 2 \times 2 \times 2 \times 2 \times 2 \times 2 \times 2 \times 2 \times 2 = 2^{14} = 16{,}384$$

そこに15個目のツールを加えると、パターンはその倍になる。

$$2 \times 2 \times 2 \times 2 \times 2 \times 2 \times 2 \times 2 \times 2 \times 2 \times 2 \times 2 \times 2 \times 2 \times 2 = 2^{15} = 32{,}768$$

すべてのツールに3つ目の機能が加えられた場合、とりうる可能な状態は2つではなく3つ（1つ目の機能、2つ目の機能、未使用）になり、それによってポケットナイフがとりうるパターンの総数は飛躍的に増大する。

$$3 \times 3 \times 3 \times 3 \times 3 \times 3 \times 3 \times 3 \times 3 \times 3 \times 3 \times 3 \times 3 \times 3 = 3^{14} = 4{,}782{,}969$$

すべてのツールが4つの機能を持つ場合には、パターンの総数は $4^{14} = 268{,}435{,}456$ 通りになる。

12 この記述は、ノースイースタン大学電気・コンピューター工学部に所属するわたしの同僚ダナ・ブルックスによる。

13 ここで言及しているのは、粒子と波動の二重性のことではなく、レッスン1の注**12**で取り上げた、エーテルの神話についてである。☞ 7half.info/wave

---

Lesson 3　小さな脳は外界にあわせて配線する

1　もちろん、ラット、モルモットをはじめとする齧歯類の、小さなピーナッツにも似た無毛で目の見えない幼獣を見ればわかるとおり、人間の新生児より能力が劣る、動物の新生児もたくさんいる。

2　この言葉は神経科学者のドナルド・ヘッブによるものとされ、その現象は正式にはヘッブ則、あるいはヘッブの可塑性と呼ばれている。あるニューロンは他のニューロンより先に発火するので、厳密にいえば発火は同時ではない。ヘッブの著書『行動の機構――脳メカニズ覆われている。一般にひとつのニューロンの軸索終末は、他の数千のニューロンの樹状突起と近接するが、実際に接触してはおらずシナプスと呼ばれる隙間によって隔てられている。樹状突起が化学物質を検知すると、そのニューロンは軸索沿いに軸索終末に向けて電気シグナルを送ることで「発火」する。次に軸索終末は、シナプスに神経伝達物質を放出する。放出された神経伝達物質は、相手ニューロンの樹状突起上のレセプターに取りつく。その間、グリア細胞と呼ばれる他の細胞が、以上のプロセスの進行を支援し、化学物質の漏洩を防ぐ。かくして受け手のニューロンは、神経化学物質によって刺激もしくは抑制されることで発火率を変える。このプロセスを介して、ひとつのニューロンが他の数千のニューロンに、また数千のニューロンがひとつのニューロンに同時に影響を及ぼすことができるのだ。以上のような方法で、脳は機能しているのである。☞ 7half.info/wiring

6　「見る」とはいったい何を意味するのか？　自分の手や携帯を見るなどといった外界の物体に関する意識的経験の一部は、後頭皮質で作られる。しかしそこにあるニューロンが損傷しても、その人はあたりを歩き回ることができる。たとえば、一次視覚皮質に損傷を負った人は、直前に障害物を置かれると、それを意識的に見ることができないにもかかわらず、うまく避けて通ることができる。この現象は盲視と呼ばれる。☞ 7half.info/blindsight

7　この研究は、ニューロンが複数の機能を持ちうることのもうひとつの例証になる。経頭蓋磁気刺激法と呼ばれるテクニックを用いて一次視覚皮質（V1）のニューロンの発火を阻止すると、目隠しをされた被験者は点字を読むのに困難を覚えるようになる。ただしこの効果は、目隠しをはずされて視覚入力が再びV1の処理対象になってから24時間で失われた。☞ 7half.info/blindfold

8　複雑性は、その度合いの低い脳から高い脳へと推移しやがて人間の脳で頂点を迎えるという、脳の系統発生上の段階的秩序（*scala naturae*）を反映するわけではない。サルや蠕虫《ぜんちゅう》などの他の生物の脳も複雑性を備えている。☞ 7half.info/complexity

9　「ミートローフ脳」という呼称は、心理学者スティーブン・ピンカーの『人間の本性を考える――心は「空白の石版」か』（山下篤子訳、NHKブックス）にヒントを得て命名した。そこで彼は、「一様なミートローフ」的な心を「単一の力を付与された均質的な球体《オーブ》」として記述している。☞ 7half.info/meatloaf

10「ポケットナイフ脳」という呼称は、人間の心をスイス・アーミーナイフのようなものとしてとらえた、進化心理学者のレダ・コスミデスとジョン・トゥービーにヒントを得て命名した。☞ 7half.info/pocketknife

11　14種類のツールを束ねたポケットナイフの複雑さに関して、もう少し詳しい数学的説明

1　脳のネットワークは、ニューロンによって相互に接続された、いくつかの小さなサブネットワークで構成される。各サブネットワークは、機能するにつれ常時参加したり離脱したりするニューロンの緩やかな集まりからなる。12 人から 15 人の選手がベンチに座っていながら、一度には 5 人しかプレーできないバスケットボールの試合を思い浮かべてみてほしい。試合が進行するにつれて選手が交代を繰り返すが、それでもわたしたちはコートにいる選手たちを同じチームに属すると見なす。それと同様にサブネットワークは、それを構成する実際のニューロンが交代しても維持される。この変化は、(ニューロンの集合などの)構造的に異なる構成要素が同一の機能を果たす、縮重の一例をなす。☞ 7half.info/network

2　ここに示した人間の脳の平均的なニューロン数を示す 1280 億という数値は、他の一般的な文献に記述されているおよそ 850 億より大きい。この差は、ニューロンがさまざまな方法で数えられるという事実に基づく。一般に科学者は、確率と統計を用いて脳の組織の二次元画像からニューロンの三次元構造を見積もる立体解析学的方法によって脳内のニューロン数を推定している。1280 億という数は、オプティカル・フラクショネイターと呼ばれる立体解析学的方法を用い、大脳皮質、海馬、嗅球を含む人間の大脳のおよそ 190 億のニューロン、小脳の 1090 億ほどの果粒細胞、ならびに 2800 万ほどの小脳のプルキンエニューロンを数え、加えたものである。850 億という一般的な数は、アイソトロピック・フラクショネイターと呼ばれる、より単純で迅速ながら系統的に特定のニューロンを省略する別の方法によってはじき出されている。☞ 7half.info/neurons

3　脳は、たとえとして脳のようなものなのではなく、実際にネットワークであり、他のネットワークと類似のありかたで機能する。「ネットワーク」という言葉はここでは概念であり、メタファーではない。脳のネットワークとはいかなるもので、どのように機能するのかを理解するためには、自分の知る他のネットワークを思い浮かべてみるとよい。

4　人間の脳は、形状や大きさの異なるさまざまなタイプのニューロンで構成される。本レッスンで言及しているニューロンのタイプは、大脳皮質の錐体《すいたい》ニューロンである。

5　ここでわたしが使っている「配線」という単純な用語は、実際にはより緻密な構造を反映している。一般にニューロンは、細胞体、樹状突起と呼ばれる先端に位置する木の枝のような構造(梢《こずえ》を思い浮かべてほしい)、そして下端に木の根のような構造のある、軸索と呼ばれる細長い投射部からなる。軸索は人間の髪の毛よりはるかに細く、末端に軸索終末と呼ばれる化学物質に満たされた小さな球が存在する。樹状突起はこの化学物質を受け取る受容器《レセプター》に驚くべきことに0.993に達する。同一のモデルによって予測可能であるという事実は、研究対象のすべての動物種にわたって発達事象の順序が同一に近いことを意味する。

つけ加えておくと、さまざまな哺乳動物の脳細胞に見出される遺伝子は、翻訳時間モデルと一致する分子遺伝学的証拠を示している。それらの遺伝子は、有顎魚類の脳細胞にも含まれる。またナメクジウオや、おそらくはナメクジウオと人類の共通の祖先にまで遡る遺伝子もある。したがって遺伝的証拠のみに基づいていえば、あらゆる有顎脊椎動物が、共通の設計(もしくはその一部)を備えていると推論できる。☞ 7half.info/manufacture

10 わたしは神経科学者として、共通の脳の設計に関するフィンレイの仮説を裏づける証拠に納得している。しかしそれに関心のある読者は、前頭前皮質などの特定の脳の構造が、拡大された霊長類の脳に期待されるものより大きくなるべく進化したと考える科学者もいる点に留意してほしい。わたしの見かたでは、人間の脳に独自な能力のいくつかは、(脳全体の大きさから期待されるほど大きくはないが、絶対的な大きさという意味で)大きな大脳皮質と、上部前頭前皮質を含む皮質の特定の部位におけるニューロン間の濃密な結合が組み合わされることで生じた。わたしを含めた何人かの科学者が、これらの特徴が、物理的形態ではなく機能によってものごとを理解する能力を人間に与えたとする仮説を支持している。それに関してはレッスン7、ならびにわたしの前著『情動はこうしてつくられる――脳の隠れた働きと構成主義的情動理論』(高橋洋訳、紀伊國屋書店)を参照されたい。☞ 7half.info/parts

11 大脳辺縁系という概念は神話だとしても、脳が辺縁回路と呼ばれる組織を備えているのは確かである。辺縁回路のニューロンは、自律神経系、免疫系、内分泌系や、体内感覚の脳による表現である内受容感覚を生む他のシステムを調節する脳幹の核と結合している。辺縁回路は情動に特化しているわけではなく、また、複数の脳のシステムに分散している。それには、視床下部や扁桃体の中心核などの皮質下構造、海馬や嗅球などの不等皮質構造、帯状皮質や前部島皮質などの大脳皮質の一部が含まれる。☞ 7half.info/limbic

12 三位一体脳説は、科学にはびこる神話の長い歴史のひとコマをなす。科学における他の神話をここでいくつか紹介しよう。18世紀には、まともな学者もカロリックと呼ばれる架空の液体によって熱が生み出され、フロギストンと呼ばれる想像上の物質によって燃焼が引き起こされると考えていた。19世紀の物理学者は、宇宙が光波の伝播を可能にするエーテルと呼ばれる目に見えない物質に満たされていると主張した。また彼らと同時代の医学者は、瘴気《ミアズマ》と呼ばれる悪臭を放つ気体によって疫病などの疾病が引き起こされると考えていた。以上の神話はいずれも、否定されるまで科学的事実を押しのけて100年以上ものあいだ流布していた。☞ 7half.info/myths

13 この考えは、ヘンリー・ジーの著書 *The Accidental Species* に基づく。☞ 7half.info/interesting

しく知りたい読者は、ゲオルク・シュトリーターとグレン・ノースカットの著書*Brains Through Time*を参照されたい。☞ 7half.info/homology

6　この考えは、神経生物学者ゲオルク・シュトリーターによるものである。彼は脳を、組織を再編してビジネスを拡大する企業にたとえている。彼の著書*Principles of Brain Evolution*を参照されたい。また、進化や発達の過程で脳が複雑性を失う場合もある。その例のひとつは尾索動物（ホヤ）に見られる。☞ 7half.info/reorg

7　ラットと人間の一次体性感覚皮質の比較に関する理解を促進するたとえを紹介しよう。作家でシェフのトーマス・ケラーによれば、さまざまな野菜を鍋に入れて調理すると、その混合物は単一の風味を持つ。その際、いかなる具材の味も際立たない。だが、もっとおいしい料理を作る方法がある。各々の野菜を個別に調理し、最後にすべての野菜をまとめて鍋に入れるのだ。するとどの部分をスプーンですくっても、そのたびごとに異なる、味覚の複雑な混合を味わうことができる。以上ふたつの調理テクニックの違いは、ラットと人間の一次体性感覚皮質の相違と本質的に同じである。ラットの単一の脳領域はひとつの鍋にすべての具材を入れた状態に、また、人間の4つの脳領域は各々の具材をひとつずつ入れた4つの鍋に相当する。言語を取り上げるレッスン2では、4つの鍋のテクニックによって高度の複雑さが生じることを検討する。☞ 7half.info/keller

8　これは、それらのニューロンが、（同一のタンパク質の発現など）同じ遺伝的機能を実行する分子的な同一性（特定の遺伝子や遺伝子配列）を持つことを意味する。ひとつの遺伝子は、それを持つすべての動物において同一のタンパク質を発現するとは限らない。2種の動物は同じ遺伝子を持つ可能性があるが、その遺伝子は、動物によって異なる機能を果たしたり、異なる構造を生んだりする場合がある（これに関するわかりやすい説明と事例は、ヘンリー・ジーの著書*Across the Bridge*を参照）。ここで重要なのは、ふたつの生物種が、同じように機能するいくつかの同一の遺伝子を持つニューロンを備えながら、それらのニューロンが異なる様態で組織化され、その結果非常に異なって見える脳を持つ場合があるということだ。
☞ 7half.info/same-neurons

9　この研究は、それを「翻訳時間（translating time）」モデルと呼ぶ進化・発達神経科学者のバーバラ・フィンレイがはじめた。フィンレイは、動物の脳の発達における271の事象のタイミングを予測する数学的モデルを構築した。それには、ニューロンが形成されるタイミング、軸索が成長しはじめるタイミング、結合が確立され洗練されるタイミング、ミエリンが軸索を覆いはじめるタイミング、脳の容積が変化し拡大しはじめるタイミングなどがある。彼女のモデルは、研究対象の18種の哺乳動物、ならびにモデルの対象に含まれていない動物種に関して、任意の発達事象に要する日数を計算するものである。モデルが予測するタイミングと実際の脳の形成におけるタイミングを比較すると、相関度（範囲は−1.0から1.0）はに不可欠の役割を果たしていることが知られている)。1930年代、神経解剖学者のジェームズ・パペッツは「情動に特化した皮質回路」という概念を提起した。彼のいう皮質回路は、視床や視床下部を越えて皮質下領域と境を接する皮質領域(帯状皮質)をも含み、よって太古のものと想定されている。それより50年前に神経学者のポール・ブローカは、皮質のこの部位を辺縁葉(limbic lobe)と呼んでいた(*limbic*という語は、「境界」を意味するラテン語の*limbus*から取られている。この組織は脳の感覚系と、手足などの身体部位を動かす運動系に隣接する。ブローカは、辺縁葉が嗅覚のような、生存に必要とされる原初的な機能を宿していると考えていた)。1940年代後半になると、神経科学者のポール・マクリーンが、パペッツの「皮質回路」を完全な辺縁系へと変え、それを彼が三位一体脳と名づけた3層からなる脳の内部に位置づけた。☞ 7half.info/triune

3 「皮質」を含め、脳関連の用語の多くは混乱を招きやすい。大脳皮質とは、脳の皮質下領域を包み込む、層状に配置されたニューロンのシートをいう。大脳皮質には進化的に古く辺縁系に属する部位(たとえば帯状皮質)と、進化的に新しいがゆえに新皮質と呼ばれる部位があると一般に考えられている。この区別は、本レッスンの主題である皮質の進化をめぐる誤解がもとで生まれたものだ。

4 科学者は通常、「これは事実である」あるいは「それは絶対に正しい(間違いだ)」などとはいわないようにしている。現実世界では、事実は当該の文脈において真または偽である何らかの確率を持つ(ヘンリー・ジーが著書 *The Accidental Species: Misunderstandings of Human Evolution* で述べているように、科学とは疑いを数量化するプロセスなのである)。しかし三位一体脳説に関していえば、断言しても構わないだろう。マクリーンの主著『三つの脳の進化——反射脳・情動脳・理性脳と「人間らしさ」の起源』(法橋登編訳、工作舎)が1990年に刊行されたときにはすでに、この説が誤っていることを示す明確な証拠が得られていた。三位一体脳説が今でも人気を博している事実は、それが科学的探究ではなくイデオロギーの産物であることを示唆する。科学者たちはイデオロギーを回避しようと懸命に努力しているが、科学者も人間であるがゆえに、ときにデータではなく、信念に誘導される(リチャード・レウォンティン『遺伝子という神話』川口啓明・菊地昌子訳、大月書店)。間違いは科学の正常なプロセスの一端であり、その点を自覚している科学者には、大きな発見の機会が得られる。それについては、ステュアート・ファイアスタイン『イグノランス——無知こそ科学の原動力』(佐倉統・小田文子訳、東京化学同人)を参照されたい。☞ 7half.info/triune-wrong

5 この想定は、比較対象の動物の細胞に大きな変化が生じなかったことを前提とする。
　一般には、ふたつの動物に、見た目は異なっていても共通の祖先に遡る脳の特徴があるか否かを推定する際、その基準は遺伝子に絞られるわけではない。それどころか、遺伝子は誤解を招くもとになる場合もある。ゆえに、そのような推定をする際、ニューロン間の結合などの他の生物学的指標を用いる科学者もいる。相同性《ホモロジー》と呼ばれるこの指標に関してさらに詳脳は、筋肉の動きをコントロールするために一次運動皮質や皮質下部の一連の構造からなるシステムを備えているのと同じように、内臓をコントロールするために一次内臓運動皮質や皮質下部の一連の構造からなるシステムを備えている。機能するためには脳を必要とする、肺のような内臓器官もある。心臓や胃腸は独自の律動を保ち、脳内の内臓運動系がそれを細かく調節している。つけ加えておくと、身体には免疫系や内分泌系などの内臓器官に結合していないシステムもあり、それらのシステムの変化も一般に内臓運動と呼ばれている。

手足、頭、胴の動きが脳（体性感覚系）に伝達される感覚データを生むのと同様、内臓運動は、脳（内受容系）に伝達される内受容感覚データと呼ばれる感覚的変化を引き起こす。これらのデータのすべてが、脳による運動や内臓運動の効率的なコントロールに役立てられる。

現時点での最新の科学的知見によれば、脊椎動物における内臓系と内臓運動系の進化は、感覚系の進化をともなっていた。受胎後、胚が脳と身体を発達させる際、神経堤と呼ばれる、一時的に形成された同一の細胞群から内臓系と感覚系の両方が発生する。脊椎動物の、内臓運動系と内受容系を含む前脳と呼ばれる脳の部位も、同様にして発生する。神経堤は脊椎動物独自のもので、人間を含むあらゆる脊椎動物に見出される。

内臓運動系と内受容系はあらゆる動きの価値を決定するのに重要な役割を果たすが、そのために進化したとはいえない。それ以外の選択圧力が、新たなタイプの維持管理を必要とするより大きな身体の進化などの、身体と脳の内臓運動系の進化に寄与している。たとえば地球上に生息するほとんどの動物は直径が小さく、わずかな細胞のみが外界に接している。この構成は、（呼吸における）ガスの交換や老廃物の排出のような特定の生理的機能をより容易に遂行できるようにしている。身体が大きくなれば、体内は外界からそれだけ隔たることになる。だから、鰓《えら》にかかった水をガス交換のために汲み上げるシステムや、腎臓や老廃物を排出するための拡張された腸のような新たなシステムが進化したのだ。これらの新たなシステムのおかげで脊椎動物は強力な泳ぎ手になり、それにともなってとても有能な捕食者になったのである。☞ 7half.info/visceral

---

Lesson 1　あなたの脳は（3つではなく）ひとつだ

1　プラトンは、現代の心の概念とは異なる魂《プシュケー》について書いている。ここでは慣例にしたがって魂と心を同義語として扱う。☞ 7half.info/plato

2　三位一体脳説は神経科学と、人間の魂に関するプラトンの著作を融合させた。20世紀初頭、生理学者のウォルター・キャノンは、情動が、理性的とされる皮質の直下にある視床と視床下部というふたつの脳領域によって（それぞれ）引き起こされ、表現されると主張した（今日では、視床は嗅覚を喚起する化学物質を除くあらゆる感覚データの、皮質に至る主要な入り口であることが、また、視床下部は血圧、心拍数、呼吸数、発汗などの生理的変化の調節イプの目的論は、たとえば「本能的な動物から理性的な動物へと、あるいは下等動物から高等動物へと進化するにつれ、脳はある種の上向きの発展を遂げてきた」と主張する。本レッスンで取り上げるのは、この手の目的論ではない。

第2のタイプの目的論は本レッスンが対象とするもので、「究極的な到達点を持たず、特定の目的を組み込んだプロセスとしての何か」を論ずる。「脳は考えるためではなく、特定のニッチのもとに置かれた身体を調節するためのものである」と述べるとき、わたしは身体予算管理（アロスタシス）には何らかの究極的な状態が存在すると主張しているのではない。アロスタシスとは、絶えず変化する環境由来の入力情報を予期し、それに対処するプロセスをいう。いかなる脳もアロスタシスの管理を行なう。そこには最悪の方法から最良の方法に至る区別などない。

心理学者のベサニー・オジャレト、サンドラ・R. ワックスマン、ダグラス・L. メディンは、さまざまな文化圏で暮らす人々が、自然界についてどう考えているのかを研究してきた。彼らの研究によれば、本レッスンで取り上げられているもののような目的論的記述は、生物と周囲の環境の関係に対する理解を反映する。彼らはそれを「文脈的、関係的な認知」と呼ぶ。「脳は考えるためにあるのではない」などといった記述は本質的に関係的なものであり（それは脳とさまざまな身体システムと環境内の物体の関係に言及している）、脳が「何らかの究極的な到達点を持ち、その目的に向けて前進するべく意図的に設計されている何か」であることを意味するのではない。

また、「脳は考えるためにあるのではない」というわたしのいいかたは、脳の機能のさまざまな側面を説明するポピュラーサイエンスの本という特定の文脈のもとで用いられており、その文脈でのみ十全な意味を持つ。したがって文脈を無視すると、問題のある第1のタイプの目的論として誤解される恐れがある。もちろんアロスタシスのみが脳の進化の要因なのではない。またそれは、特定の順序で進化を促しているのでもない。脳の進化は、無計画で偶然的な自然選択によっておもになされており、さらには文化的進化の影響も受ける。文化的進化についてはレッスン7で取り上げる。☞ 7half.info/teleology

5　脳の進化や機能に影響を及ぼす要因はアロスタシスのみではないが、その役割が大きいことは間違いない。アロスタシスとは身体を維持するために動的に予測しバランスをとるプロセスであり、たったひとつの安定した状態を保とうとする（サーモスタットのような）プロセスではない（こちらはホメオスタシスと呼ばれる）。☞ 7half.info/allostasis

6　労力に値する動きという考えかたは、経済学の分野でよく研究されており「価値」と呼ばれている。☞ 7half.info/value

7　心臓、胃、肺などの体内の器官は内臓と呼ばれ、循環器系、消化器系、呼吸器系などの、首から下に位置するより大きな内臓系の一部をなす。心臓、胃腸、肺などの器官の内部で生じる動きは内臓運動と呼ばれる。脳は内臓系を（よって内臓運動を）コントロールしている。

科学者間では、ナメクジウオの脊索の前部先端に脊椎動物の脳が持つ遺伝的構成に似た配置が認められ、それが少なくとも5億5000万年前のものであるという点で見解の一致を見ている。ただしそのことは、脊索の前部先端に発見された遺伝子が脊椎動物の脳と同様のありかたで機能したり、同じ構造を生んだりすることを必ずしも意味するわけではない（ふたつの生物種が類似の遺伝子を持つことの意味については、レッスン1の注**8**を参照）。科学的な論争はそこからはじまる。ナメクジウオには、脊椎動物の脳をいくつかの主要な部位へと組織化している分子パターンがいくつか認められるものの、ナメクジウオでは脊椎動物の脳のどの部位の概略が記され、どの部位がそれを形成する指示を欠いているかに関しては科学者のあいだで論争の的になっている。また、ナメクジウオでは該当する部位が実際に存在するか否かについても議論の余地がある。同様にナメクジウオは、実際の頭部こそ欠くものの、その発生に必要な初歩的な遺伝的基盤を備えている。

ナメクジウオについてさらに詳しく知りたい読者は、ヘンリー・ジーの著書 *Across the Bridge: Understanding the Origin of the Vertebrates* や、進化神経科学者のゲオルク・シュトリーターとグレン・ノースカットの著書 *Brains Through Time: A Natural History of Vertebrates* を参照されたい。☞ 7half.info/amphioxus-brain

3　科学者の見解によれば、人類とナメクジウオの共通の祖先は現代のナメクジウオに非常によく似ていた。というのも、ナメクジウオの生息環境（ニッチ）は5億5000万年前と比べてわずかしか変化しておらず、別の環境に適応する機会がほとんどなかったはずだからだ。それに対して脊椎動物は、ホヤなどの他の脊索動物と同様、きわめて大きな進化的変化を経てきた。だから科学者は、現代のナメクジウオを研究することで、すべての脊索動物の共通の祖先についてもわかると仮定しているのである。

それでも、その仮定に異議を唱え、5億年間ナメクジウオがまったく変化しなかったなどということは考えられないと主張する科学者もいる。たとえばナメクジウオの脊索（この動物の中枢神経系）は、先端から尾部に至るまで身体全体に広がっているのに対し、脊椎動物の脊髄は脳がはじまる箇所で終わっている。また科学者たちは、共通の祖先が、ナメクジウオ様の脊索を備えていて、それが脊椎動物の脳の進化とともに短くなったのか、それともより短い脊索を備えていて、それが進化の過程で拡大したのかについて論じあっている。さらには、嗅覚の進化などをめぐって、いくつかの類似の議論がある。

ナメクジウオに似たわたしたちの太古の祖先についてさらに詳しく知りたい読者は、ヘンリー・ジーの著書 *Across the Bridge* を参照されたい。☞ 7half.info/ancestor

4　「脳はXXのためにある」「脳はYYをするために進化した」などの記述は、目的論（teleology）の典型例である。この用語は、「目的」や「目標」を意味するギリシャ語の *telos* に起源を持つ。いくつかのタイプの目的論が、科学や哲学で議論されている。一般に科学者や哲学者からは反駁されているが、もっともよく見かけられるタイプは、「何らかの究極的な到達点を持ち、それを目的として前進するべく意図的に設計されている何か」を論じるものだ。このタ

1　この太古の生物は現在でも生息している。ナメクジウオが進化的にわたしたちのいとこである理由は、次の点に基づく。人間は脊椎動物である。これは脊椎と呼ばれる背骨と、脊髄と呼ばれる神経索を持つことを意味する。ナメクジウオは脊椎動物ではないものの、基幹部から尾部に至る神経索を持つ。また、骨ではなく繊維質と筋肉からなる、脊索と呼ばれる一種の背骨も持っている。ナメクジウオも脊椎動物も、脊索動物門と呼ばれるより大きなグループに属し、人間とナメクジウオは共通の祖先を共有する（共通の祖先についてはこの章の注**3**で説明する）。

ナメクジウオは、脊椎動物と無脊椎動物を区別する特徴をまったく持たない。心臓、肝臓、膵臓、腎臓がなく、それらの器官を擁する体内の身体システムもない。ただしサーカディアンリズム〔運動や生理現象に見られる、約24時間を周期とする内因性のリズム〕を調節する細胞を持ち、睡眠と覚醒の周期を経験している。

ナメクジウオには、はっきりした頭部がなく、また脊椎動物の頭部に見られる目や耳や鼻に相当する感覚器官も見当たらない。前部の最先端には、片側に眼点と呼ばれる小規模の細胞群が存在する。この細胞は光に感応し、明暗の大まかな変化を検知することができる。したがって影がかかると、ナメクジウオは逃げ出す。眼点の細胞は、脊椎動物の網膜と同じ遺伝子をいくつか共有しているが、ナメクジウオは目を備えておらず、見ることができない。

またナメクジウオは、かぐことも味わうこともできないが、水中の化学物質を検知する細胞を皮膚に備え、この細胞は脊椎動物の嗅球に見られるものに類似する遺伝子をいくつか含む。ただし、これらの遺伝子が脊椎動物のものと同じ機能を果たすかどうかはわかっていない。加えて、ナメクジウオは一群の有毛細胞を持つ。有毛細胞は水中で身体を方向づけてバランスをとることを可能にし、おそらくは泳ぐ際の加速の度合いを感知していると考えられる。しかしナメクジウオは、脊椎動物のように音を聞くための有毛細胞を備えた内耳を持たない。

さらにいえば、ナメクジウオはエサの位置を特定して接近することができない。海流に乗って漂ってきた小さな生物を、それが何であれ取り込むしかないのだ。しかし、エサの欠乏を検知し、あわよくばエサが見つけられるよう身をよじらせながらランダムな方向へ泳ぎ去ることを可能にする細胞を持つ（実質的に、この細胞は「ここより他所《よそ》のほうがマシ」というシグナルを送る）。☞ 7half.info/amphioxus

2　ナメクジウオに脳があるのかどうかについては、現在でも科学者間で議論が続いている。この判断は、「脳」と「脳でないもの」の境界線をどこに引くかにもよる。進化生物学者のヘンリー・ジーは、この状況を次のようにうまくまとめている。「脊椎動物の脳のようなものは、尾索動物にもナメクジウオにも見られない。ただしよく目を凝らして見れば、（……）その基盤の痕跡が残っていることがわかるはずだ」

【付録】科学の背後にある科学

ここでは、本書で取り上げたいくつかのトピックについて、科学的な補足説明を加え、現在でも科学者間で論争中のトピックに関しては、その論点を解説する。また、本書で取り入れたアイデアや用語を発案した科学者たちをここに明示しておく。ウェブ上の参照一覧のトップページは、sevenandahalflessons.com でご覧いただきたい（この付録のほとんどの項目には、該当するウェブページへの短縮 URL を☞のあとに記した〔インターネットブラウザのアドレスバーにそのまま入力すれば該当ページに到達する〕）。

科学書の執筆にあたっての重要な課題は、何を省くかの選択である。科学書の書き手は彫刻家と同様、理解可能で説得力のある構図が浮き彫りになるまで、複雑な素材を削っていかねばならない。かくして彫琢された成果は、厳密な科学的観点からは不完全なものにならざるを得ないが、ほとんどの専門家を怒らせない程度には十分に正確なものになるはずだ。

「十分に正確なもの」の例に、「人間の脳は、およそ 1280 億のニューロンからなる」という表現がある。この見積もりは、読者がどこかで目にした他の科学者の見積もりとは異なるかもしれない。というのは、わたしはその数に小脳（触覚や視覚のような感覚刺激を用いて身体の動作を統御することに重要な役割を果たす脳の組織）を構成するニューロンを加えているからだ。小脳のニューロンを過小評価している論文もある。またそれでも、脳細胞の数に関するわたしの見積もりは不完全だ。驚くほど多くの生物学的機能を担う「グリア細胞」と呼ばれる、ニューロンではない 690 億の細胞を含めていないからである。しかし 1280 億という数値は、脳がさまざまな部位から構成されるひとつのネットワークをなすという、レッスン 2 で取り上げるきわめて重要な論点を明確にするのに役に立つ。

ポピュラーサイエンスの本を執筆するにあたっての課題

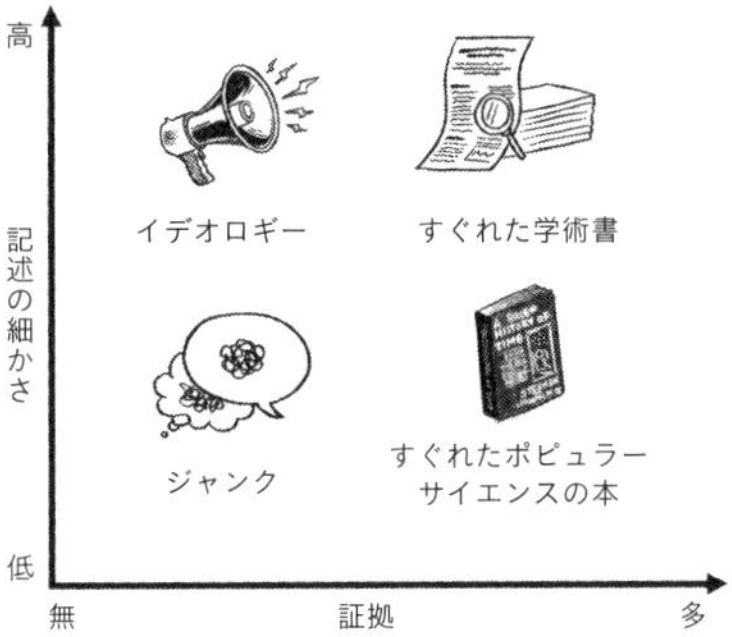

ハ行

マ行

ヤ行

ラ行

タ行

ナ行

索引

英数字

ア行

カ行

サ行

［著者］
リサ・フェルドマン・バレット　Lisa Feldman Barrett, Ph.D.
米・ノースイースタン大学心理学部特別教授、ハーバード大学医学部マサチューセッツ総合病院研究員。ハーバード大学の法・脳・行動研究センターでCSO（最高科学責任者）を務める。心理学と神経科学の両面から情動を研究し、その革新的な成果は、米国議会やFBI、米国立がん研究所などでも活用されている。世界で最も引用された科学者の上位１パーセントに入る研究者。2007年に米国立衛生研究所の所長パイオニア・アワード、2018年に米国芸術科学アカデミー選出、2019年に神経科学部門のグッゲンハイム・フェロー、2021年には米国心理学会から顕著な科学的貢献に対する賞を与えられるなど、受賞歴多数。邦訳された著書に『情動はこうしてつくられる』（紀伊國屋書店）がある。

［訳者］
高橋 洋　たかはし・ひろし
翻訳家。訳書にバレット『情動はこうしてつくられる』、メイヤー『腸と脳』、ドイジ『脳はいかに治癒をもたらすか』、ハイト『社会はなぜ左と右にわかれるのか』（以上、紀伊國屋書店）、メルシエ『人は簡単には騙されない』、カンデル『なぜ脳はアートがわかるのか』（以上、青土社）、ダマシオ『進化の意外な順序』、ブルーム『反共感論』（以上、白揚社）、レシュジナー『眠りがもたらす奇妙な出来事』（河出書房新社）ほか多数。

バレット博士の脳科学教室 7½章

2021年6月10日　第1刷発行

発行所――――株式会社紀伊國屋書店
東京都新宿区新宿3-17-7

出版部（編集）電話　03-6910-0508
ホールセール部（営業）電話　03-6910-0519
〒153-8504　東京都目黒区下目黒3-7-10

ブックデザイン――松田行正＋杉本聖士
校正・校閲協力――鷗来堂
印刷・製本――――中央精版印刷

ISBN 978-4-314-01183-9 C0040 Printed in Japan

定価は外装に表示してあります